La belle et le révérend

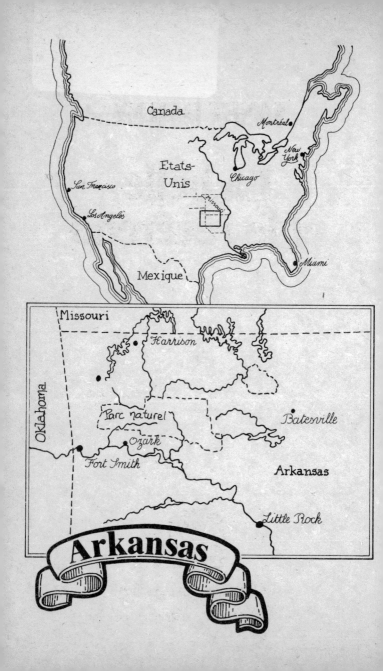

JANET DAILEY

La belle
et le révérend

Duo

Le temps d'un livre
Le temps d'un rêve

Titre original : *For the love of God* (118)
© 1981, Janet Dailey
Originally published by SILHOUETTE BOOKS
a Simon & Schuster division of Gulf
& Western Corporation, New York

Traduction française de : Jeanne Saurin
© 1982, Éditions J'ai Lu
31, rue de Tournon, 75006 Paris

1

Le vent soufflant par la vitre baissée apportait dans la voiture toute la chaleur et l'humidité d'une journée de juillet. Il soulevait les lourds cheveux auburn d'Abbie Scott en rafraîchissant un peu sa nuque. Une paire de lunettes de soleil reposait sur le tableau de bord. Elle les avait ôtées pour ne pas avoir une vision dénaturée du lumineux paysage de l'Arkansas.

Une averse matinale avait ravivé les couleurs des monts Ozarks; le vert des arbres et des buissons bordant la route était plus éclatant, l'air lavé de toute poussière, le ciel plus bleu.

Les yeux noisette d'Abbie, quittant à tout instant la route sinueuse pour admirer la vue changeante des rochers et des collines boisées, avaient des reflets verts comme s'ils réfléchissaient le paysage luxuriant.

Elle n'avait pas toujours su apprécier la beauté rude et sauvage des monts Ozarks, et s'était souvent plainte, autrefois, des mauvaises petites routes de campagne, du manque de distractions, de magasins et d'emplois intéressants, dans une région dont la principale industrie était le tourisme.

Dès sa sortie du lycée, elle avait quitté la sérénité des montagnes pour la vie trépidante de Kansas City. Le mirage n'avait pas tardé à s'effacer, et, au bout de quatre ans, elle était revenue dans sa petite ville natale d'Eureka Springs. Il y avait maintenant un an de cela.

Beaucoup de gens, y compris ses parents, s'étaient étonnés de la voir abandonner une carrière prometteuse à la TWA, dont le siège était à Kansas City, avec toutes ses possibilités de voyages et d'avantages substantiels. Aux questions, assez rares d'ailleurs, Abbie répondait simplement qu'elle avait eu le mal du pays. Ce n'était que partiellement vrai.

Abbie devinait que sa mère soupçonnait une déception sentimentale d'être la cause de son retour mais elle était trop fière pour avouer qu'il en était bien ainsi. Elle-même n'en était d'ailleurs plus très sûre. Avec un an de recul, elle comprenait que cette triste aventure n'avait été que l'événement déterminant et non la cause véritable de ce retour au bercail.

Aujourd'hui, au lieu d'avoir un emploi lucratif dans une grande société, elle était la secrétaire de son père, et son salaire était des plus modestes, comparé à ce qu'elle avait gagné précédemment. Pourtant, en déployant des trésors d'ingéniosité, elle parvenait à s'en tirer. Elle n'habitait en fait qu'à demi chez ses parents : elle avait puisé dans ses économies pour s'aménager le grenier au-dessus du garage – d'anciennes écuries – et le transformer en petit appartement. Cela lui procurait un certain confort, tout en lui laissant une relative liberté.

Et puis, elle avait Mabel... sa voiture. Abbie avait échangé son élégante petite Porsche contre un modèle plus ancien et meilleur marché. Mabel n'avait rien de luxueux, avec sa carrosserie piquetée de rouille et ses ailes plus ou moins cabossées. En outre, et tout à fait par hasard, le bleu du capot et de la portière de droite différait sensiblement de celui du reste de la voiture. Si l'on veut bien

6

admettre qu'un véhicule puisse avoir une personnalité, alors Mabel en avait une. Elle était grognon, toussait beaucoup et ronchonnait comme une vieille femme, mais pas un piston, pas une bougie n'était malade.

La route commençait à monter et Abbie passa en seconde. Le moteur grommela une protestation mais Mabel n'hésita pas. Abbie sourit.

Bien que le mois de juillet fût la pleine saison touristique dans les Ozarks, il y avait relativement peu de circulation sur la route principale menant à Eureka Springs. La plupart des touristes empruntaient les autoroutes et Abbie ne rencontrait guère qu'une animation locale. De plus, le samedi au milieu de l'après-midi, les touristes circulaient peu.

Après avoir connu les embouteillages de la ville aux heures de pointe, Abbie ne redoutait plus les petites routes des Ozarks, encombrées ou pas. Surtout quand il s'agissait d'aller voir sa grand-mère. Grand-maman Klein habitait toujours la ferme montagnarde où elle avait vécu et travaillé avec son mari jusqu'à son veuvage, mais les terres étaient maintenant louées à des voisins.

La grand-mère maternelle d'Abbie continuait à élever des poules, à traire sa vache et à soigner son vaste potager, faisant plus de conserves qu'elle n'en pourrait jamais manger, et refusant de reconnaître qu'elle avait soixante-dix ans. On l'offensait en lui conseillant de se ménager un peu. Personne n'allait jamais la voir sans revenir chargé de provisions, et les protestations n'y changeraient jamais rien.

Dans le panier posé par terre à côté d'elle, Abbie rapportait des bocaux de cornichons, de cerises, de confitures et de conserves de primeurs. Sur le siège, deux sacs contenaient des tomates, des concombres, du maïs et des pêches mûres, cueillies sur l'arbre, dont le parfum sucré emplissait la voiture.

La tentation était trop grande et Abbie tendit la main pour en prendre une alors que la voiture approchait du sommet de la côte. La pêche était encore toute chaude de soleil et son jus jaillit à la première morsure. Abbie s'essuya vivement le menton d'un geste du pouce et jeta un coup d'œil vers la boîte à gants, espérant y trouver un mouchoir. Elle vit s'allumer un voyant rouge au tableau de bord, ôta le fruit de sa bouche et fronça les sourcils. Il était rare que Mabel se surchauffât sur ces routes en dos d'âne.

– Ne va pas perdre ton sang-froid maintenant, Mabel, murmura-t-elle. Nous sommes presque en haut.

Mais le voyant resta allumé, même dans la descente. Quand Abbie vit un peu de vapeur s'échapper du capot, elle comprit que la panne la guettait et chercha un endroit pour s'arrêter. Elle dut faire encore huit cents mètres avant de trouver un bas-côté assez large pour Mabel. La vapeur se libérait maintenant, déroulant d'épaisses volutes.

Une fois garée, Abbie s'assura qu'aucune voiture n'était en vue et descendit pour aller examiner le moteur, oubliant qu'elle tenait toujours la pêche à la main. Elle ne s'en souvint qu'au moment de soulever le capot, et la serra entre ses dents, sans se soucier du jus qui coulait sur son chemisier écossais, négligemment noué sous les seins, à cause de la chaleur. Elle releva le capot et des gouttes d'eau brûlantes fusèrent en sifflant, aspergeant son estomac dénudé, entre le corsage et le jean délavé. Elle recula d'un bond, faillit lâcher la pêche et s'essuya vivement de sa main libre.

– Comment oses-tu me cracher dessus comme ça, Mabel! protesta-t-elle.

Le nuage montant du moteur se dissipa bientôt.

Abbie se pencha prudemment et constata qu'une des durites était crevée.

Agacée, elle scruta les deux côtés de la route pour essayer de localiser la ferme la plus proche. La ville était encore à six ou sept kilomètres. Cela ne lui disait rien du tout de faire le chemin à pied par cette chaleur accablante.

Un gros poids lourd passa et l'appel d'air ébouriffa les cheveux cuivrés d'Abbie. Elle s'approcha du bord de la chaussée pour guetter les voitures. A aucun prix elle n'aurait accepté l'offre d'un inconnu, mais elle ne courait pas grand risque : elle connaissait presque tout le monde dans la région. Elle trouverait bien quelqu'un pour la conduire en ville.

Plus de douze véhicules passèrent mais Abbie ne reconnut aucun des conducteurs. Quelques-uns ralentirent à sa hauteur mais aucun ne s'arrêta. Elle ne leur fit pas signe, d'ailleurs. Distraitement, elle continua de manger sa pêche, en se demandant si elle devait se mettre en marche vers la maison la plus proche pour téléphoner à ses parents ou attendre encore un peu.

Une décapotable grand sport, vert foncé, surgit au sommet de la côte et ralentit immédiatement. La capote était baissée mais le pare-brise empêchait Abbie de bien distinguer l'automobiliste. Quand il se gara sur le bas-côté derrière sa voiture, elle remarqua les plaques minéralogiques d'un autre Etat et se crispa légèrement. Quatre ans de vie citadine l'avaient rendue méfiante.

Le conducteur ne prit pas la peine d'ouvrir sa portière mais sauta par-dessus avec souplesse. Il était très grand, vêtu d'un tee-shirt gris délavé et d'un jean coupé aux genoux, et chaussé de tennis blanches. Il était musclé, bronzé, et ses cheveux châtain doré étaient décoiffés par le vent.

Abbie ne voyait pas ses yeux derrière les lunettesmiroir, mais les traits du visage, virils et forts, lui furent immédiatement sympathiques. Elle éprouva cette attirance instantanée vers le sexe opposé que rien ne peut expliquer, et regretta vaguement que cet homme lui fût inconnu. Il n'y avait pas précisément pléthore de célibataires séduisants à Eureka Springs.

– Bonjour, dit l'homme avec un sourire qui révéla deux rangées de dents éclatantes. On dirait que vous avez des ennuis.

– Hélas oui, convint-elle en soupirant.

Son intérêt pour l'inconnu s'accrut quand il ôta ses lunettes. Elle rencontra un regard bleu, intense, presque saisissant, au fond duquel pétillait une petite lueur amicale et chaleureuse. Elle eut agréablement conscience de l'attrait physique qu'il exerçait sur elle, et ne chercha pas à se le dissimuler! Il y avait longtemps qu'un homme n'avait ainsi éveillé ses sens. Les rares fois où elle était sortie avec un garçon depuis son retour, elle ne l'avait fait que par désir d'une compagnie.

– Quel est le problème?

Quand l'inconnu se pencha pour regarder sous le capot, Abbie observa les muscles qui se gonflaient sous la peau dorée de ses bras.

Bien que la durite eût cessé de laisser couler l'eau du radiateur, elle conseilla tout de même :

– Faites attention. Mabel a une fuite.

Et, devant le coup d'œil curieux qu'il lui lança, elle ajouta aussitôt, tout en se sentant un peu ridicule :

– C'est comme ça que je l'appelle... ma voiture, je veux dire.

L'inconnu la dévisagea plus attentivement, et elle sentit son regard l'envelopper de la tête aux pieds. Elle était grande, mince comme un mannequin, et si son corps n'était pas de ceux qu'on eût pu qualifier de voluptueux, elle ne manquait pas non plus de rondeurs. Ses cheveux roux avaient des reflets d'or rouge – « blond fraise », disait sa mère. Abbie n'aurait pas été franche si elle n'avait pas reconnu qu'elle était plus jolie que la moyenne, avec une saine fraîcheur campagnarde.

L'inconnu parut apprécier ce qu'il voyait, sans paraître insolent pour autant. Puis il reporta son attention sur la durite, la palpa et la recourba un peu, pour juger de l'étendue des dégâts.

– Je pourrai peut-être raccommoder Mabel, dit-il avec un petit sourire amusé. Auriez-vous un chiffon, ou une vieille serviette ?

– Bien sûr. Sous le siège avant. Un instant, je vais vous le chercher.

Plutôt que d'ouvrir sa portière du côté du volant, à cause des voitures passant sur la route, Abbie fit le tour dans l'herbe haute du bas-côté et ouvrit celle de droite. Elle dut se pencher pour atteindre le vieux bout de flanelle glissé sous le siège du conducteur. Son coude heurta le panier posé par terre ; les bocaux s'entrechoquèrent et tombèrent les uns sur les autres comme des dominos, juste au moment où sa main tâtonnante trouvait le chiffon. Elle ferma les yeux, s'attendant à entendre un bruit de verre brisé, mais il n'en fut rien.

Le chiffon à la main, elle était à moitié couchée sur le siège, à plat ventre, et s'apprêtait à reculer quand elle entendit des pas dans l'herbe. Il n'y avait pas beaucoup de place sur le siège pour manœuvrer, avec deux sacs de légumes et de pêches. Elle dut se tordre le cou pour regarder derrière elle.

– Tout va bien ?

L'homme se penchait, appuyé d'une main sur la portière ouverte. Abbie avait conscience de sa position vulnérable et malcommode, qui ne lui laissait aucune chance de sortir de là avec grâce.

– Oui, ça va... Juste quelques bocaux renversés.

Elle sortit à reculons de la voiture, les joues en

feu. Etait-ce seulement sa position qui lui avait ainsi fait monter le sang à la tête? Elle se le demanda.

Elle se retourna pour lui tendre le chiffon et s'aperçut qu'elle était tout près de lui. Le tee-shirt gris moulait ses épaules et son torse musclé, et, à nouveau, elle se sentit troublée par la puissante virilité de cet homme. D'autant plus troublée qu'elle avait les yeux à la hauteur de sa bouche. Elle fut presque choquée de sa propre réaction. Décidément, son cœur se comportait d'une manière plutôt déraisonnable...

– Vous n'avez rien cassé?

Elle regarda les lèvres former les mots mais mit au moins une seconde à les comprendre. Que lui arrivait-il donc? Elle se conduisait comme une vieille fille affamée d'amour qui n'aurait pas vu un homme depuis des années... En tout cas pas un homme comme celui-là, lui souffla une petite voix intérieure.

Les yeux noisette d'Abbie se levèrent d'un air coupable vers ceux de l'inconnu. Il semblait deviner ce qui se passait en elle. Ce n'était pas tellement surprenant. Chaque trait de ce masque viril traduisait une profonde expérience de la vie... et des femmes. Soudain, elle se rappela qu'il venait de lui poser une question.

– Rien de cassé, dit-elle avec une mimique résignée. Comme vous voyez, grand-maman Klein m'a donné de quoi nourrir une famille nombreuse!

L'épaule de l'homme lui frôla le bras quand il se pencha pour redresser les bocaux. Avec sa grande main, il pouvait en prendre deux à la fois, parfois en pousser un troisième avec le pouce. En un clin d'œil, tous les bocaux furent de nouveau debout.

– Merci. Vous n'aviez pas besoin de vous donner cette peine, murmura Abbie quand il eut fini.

– Je me souviens que ma grand-mère faisait la meilleure confiture de framboises sauvages du

12

monde. Elle savait que c'était ma préférée et il y avait toujours au moins deux grands bocaux pour moi quand j'allais lui rendre visite. Les grands-mères sont comme ça. Elles essayent soit de vous engraisser, soit de vous marier.

– C'est vrai, reconnut Abbie en riant, résistant à l'envie de regarder sa main gauche pour voir si sa grand-mère avait réussi dans la deuxième entreprise. Tenez, voici le chiffon que vous vouliez.

Elle le lui donna et le suivit quand il contourna la portière ouverte.

– Qu'est-ce que vous allez faire? demanda-t-elle. Enrouler le chiffon autour de la durite, comme un bandage?

Il parut amusé par la suggestion, mais n'eut pas du tout l'air de la trouver ridicule, cependant.

– Non, je ne crois pas que ça tiendrait. J'ai du chatterton dans ma voiture. Quand j'aurai bien essuyé la durite, je la réparerai avec ça. Eureka Springs n'est qu'à quelques kilomètres, le chatterton tiendra bien jusque-là, je pense.

Abbie se mordit la lèvre.

– Oui, mais il n'y a presque plus d'eau dans le radiateur.

Avec le chiffon pour protéger ses doigts du métal brûlant, il dévissa le bouchon.

– J'emporte toujours avec moi quelques bouteilles d'eau potable. Avec ça et un bidon d'antigel que j'ai dans le coffre, nous devrions vous dépanner provisoirement.

– Je suis vraiment heureuse que vous soyez passé par ici, dit franchement Abbie. J'avais peur de devoir marcher jusqu'à un téléphone, et par cette chaleur... Sans parler du prix du dépannage que vous me faites économiser. Merci de vous être arrêté.

– Je ne suis qu'un bon Samaritain, répondit-il avec un sourire charmeur.

Il se mit à l'œuvre et vint rapidement à bout de la réparation. Après quoi, il remplit à moitié le radiateur de Mabel.

— La brave vieille devrait marcher, maintenant, dit-il en abaissant le capot et en s'assurant qu'il était bien fermé.

— Je ne peux pas me contenter de vous dire merci! Non seulement vous m'avez dépannée, mais vous avez utilisé votre eau, votre chatterton et tout. Permettez-moi au moins de vous les payer.

Il ouvrit la bouche pour refuser, mais soudain, il sourit. Abbie en eut le souffle coupé et son cœur se mit à battre follement. L'amour n'était pas un sentiment qui pouvait naître à première vue, mais l'attirance physique, si. Et elle pouvait être tout aussi violente, si Abbie en croyait le témoignage de ses sens.

— Est-ce que ce sont des pêches que j'ai senties, dans ce sac sur le siège de la voiture? demanda-t-il.

— Tout juste.

— Si vous tenez absolument à me payer, je prendrai deux de ces pêches. Les fruits fraîchement cueillis ont une saveur particulière.

— Marché conclu, répondit-elle en riant, tout en se retournant pour prendre le sac par la vitre baissée. Servez-vous. Emportez tout le sac, si vous voulez. Ma grand-mère m'en donnera d'autres samedi prochain.

— Deux me suffisent amplement, dit-il en prenant deux fruits au hasard. Je vais vous suivre jusqu'à Eureka Springs, pour m'assurer que vous n'aurez plus d'ennuis avec Mabel. C'est là que je vais, d'ailleurs. Mais je vous conseille de vous arrêter au premier garage pour faire mettre une durite neuve.

— Bien sûr, dit-elle un peu distraitement, toute son attention concentrée sur la destination qu'il venait de mentionner. Eureka Springs est une ville pittoresque. Vous comptez y rester un moment?

– En effet, admit-il.

Et, à nouveau, il l'enveloppa d'un long regard attentif.

– Elle vous plaira, affirma-t-elle précipitamment sans se rendre compte qu'il allait dire autre chose.

En général, elle ne se liait pas avec les touristes de passage. Les amours de vacances étaient encore plus incertaines que les autres. Mais lui..., elle savait qu'elle voulait le revoir.

– Au fait, je m'appelle Abbie Scott. Vous connaissez déjà Mabel.

– Abbie? C'est le diminutif d'Abra?

– Comment l'avez-vous deviné? La plupart des gens croient que mon nom est Abigail.

– Cela m'a paru approprié. Abra était la favorite de Salomon, dans la Bible. J'ai eu la chance de tomber juste, dit-il en tendant une main pour compléter les présentations. Je m'appelle Talbot. Tobias Talbot.

– Ça aussi, c'est un nom biblique, observa-t-elle, en remarquant à quel point la main qu'il lui tendait était belle, forte et douce à la fois... Pas une main de travailleur manuel, jugea-t-elle. Cela concordait tout à fait avec son physique : vigoureux, presque dur, c'était pourtant celui d'un homme qui gagne sa vie grâce à son intelligence et à son autorité innée.

Il lui lâcha enfin la main pour reprendre le rouleau de chatterton et le bidon vide.

– Si vous voyez que vous avez de nouveaux ennuis, donnez deux petits coups d'avertisseur. Je serai juste derrière vous, promit Tobias Talbot.

– D'accord.

Elle le suivit des yeux quand il marcha dans l'herbe vers sa voiture, et rangea ses affaires dans le coffre.

Elle attendit que la route fût dégagée pour aller ouvrir sa portière de gauche, poser le sac de pêches sur le siège et le repousser avant de se glisser au volant.

Le moteur de Mabel ronronna au premier tour. En braquant vers la chaussée, Abbie salua de la main le conducteur de la décapotable. Quelques secondes plus tard, elle l'aperçut dans son rétroviseur, roulant derrière elle à distance prudente.

La voiture était visiblement d'un modèle coûteux, même s'il n'était pas très récent, estima Abbie.

Elle essaya de deviner la profession de Tobias Talbot. Avocat? Médecin? S'il était représentant, se dit-elle avec un petit rire, je serais capable de lui acheter n'importe quoi les yeux fermés.

Les six kilomètres jusqu'à Eureka Springs furent vite couverts. Pas une fois Mabel n'alluma son voyant rouge. Abbie ne savait pas si elle en était heureuse ou navrée. Des ennuis mécaniques lui auraient donné l'occasion d'en savoir plus sur Tobias Talbot : des choses essentielles, comme la raison de son séjour à Eureka Springs, et quels endroits il comptait visiter.

Abbie ne pouvait croire à la tournure que prenaient ses pensées. Voilà qu'elle envisageait de courir après un homme, maintenant! Elle n'était pas une jeune fille timide, mais certainement pas audacieuse non plus. Malgré tout, elle ne pouvait s'empêcher de se demander l'effet que cela lui ferait s'il l'embrassait. Etait-elle réellement tombée sous le charme de Tobias Talbot, ou sa réaction voulait-elle dire qu'elle était enfin guérie de sa méfiance envers les hommes, après sa petite déception sentimentale? Probablement, décida-t-elle, en braquant lentement pour quitter la route. Elle était arrivée au garage de Jack Applebaum, où elle avait ses habitudes. Quand elle y entra, la voiture verte lança un petit coup d'avertisseur et une main se leva pour la saluer. Abbie ne put réprimer un soupir de regret. Ce serait un pur hasard si elle revoyait cet homme, elle le savait bien.

Dans sa combinaison tachée de cambouis, Jack Applebaum arrivait sans se presser. Il avait entretenu les voitures des parents d'Abbie depuis qu'elle était une toute petite fille couverte de taches de rousseur. Grâce au ciel, les taches de rousseur avaient disparu depuis longtemps, mais le vieux Jack s'obstinait à l'appeler Grain-de-Son, un surnom que tout le monde avait eu le bon goût d'oublier, sauf lui, malheureusement.

– Ha ! te voilà, Grain-de-Son, dit-il en plissant les yeux d'un air taquin. Comment va la vieille Gladys ?

– Mabel, corrigea Abbie. Elle a une durite crevée. J'espère que vous en avez une neuve pour la remplacer.

– Je trouverai bien quelque chose, dit-il en s'essuyant les mains sur un chiffon avant de lever le capot. Dis donc, tu as drôlement bien réparé ça. Félicitations.

– Ce n'est pas moi qu'il faut féliciter. Un touriste s'est arrêté en me voyant en panne, et puis il m'a suivie jusqu'en ville pour s'assurer que j'arrivais à bon port.

– Le gars qui vient de te klaxonner ? Et moi qui le prenais pour un type qui voulait te séduire. Je l'ai mal jugé. Bon, va te garer là dans le coin, je vais voir si j'ai des durites.

Avec les interruptions pour servir de l'essence et les coups de téléphone, la réparation dura près de deux heures. Il était presque l'heure de dîner quand la fidèle Mabel put enfin reprendre le chemin du retour. Abbie s'engagea prudemment dans les rues pittoresques d'Eureka Springs.

La ville, qu'on appelait « La petite Suisse d'Amérique » à cause de ses maisons vieillottes accrochées à flanc de coteau, avait un charme victorien, nostalgique, dont Abbie sentait qu'elle ne se lasserait jamais. Renommée pour ses eaux depuis le début du siècle, Eureka Springs attirait maintenant les touristes pour son architecture elle-même ainsi que pour ses nombreuses boutiques de souvenirs, d'antiquités et d'artisanat. Il y avait même un tramway brimbalant, pour les visiteurs fatigués d'arpenter ses tortueuses rues en pente.

Pendant la saison, les gens venaient par milliers pour assister au *Grand mystère de la Passion*, retraçant les derniers jours de Jésus. On venait voir aussi la statue du Christ des Ozarks, haute comme une maison de sept étages, et d'autres « attractions » religieuses, comme la *Nouvelle Terre sainte*, un diorama grandeur nature de scènes bibliques.

Abbie avait beau adorer sa ville natale et le décor des Ozarks, vivre dans un bourg qui n'avait pratiquement pas changé depuis la Belle Epoque présentait certains inconvénients. Les rues n'étaient pas faites pour la circulation automobile moderne, il n'y avait pas de feux de signalisation, et à chaque croisement on devait s'en remettre à la courtoisie des autres conducteurs.

En été, Abbie s'irritait comme tout le monde de l'affluence et des embouteillages, mais elle n'en adorait pas moins sa petite ville un peu démodée, fière et dépassée par son temps. Au fond, n'était-elle pas ainsi elle-même ?

Toutes ses amies étaient mariées et la plupart avaient des enfants. Elle avait renoncé à une carrière prometteuse pour en arriver à... A quoi ? A échafauder des fantasmes parce qu'un inconnu obligeant s'était arrêté pour l'aider ?

Des roses grimpantes encadraient la porte de la maison de ses parents, à l'allure de vieux chalet. Les anciennes écuries transformées en garage étaient construites littéralement dans le flanc de la montagne. Abbie vit que la voiture de son père était déjà dans le garage. Comme il ne pouvait en contenir deux et que Mabel ne craignait pas les intempéries, elle la laissait toujours dehors.

Cette fois, elle se gara près de la porte de la cuisine de la maison blanche. Ses placards étaient déjà pleins de bocaux et de conserves de sa grand-mère. Elle savait que la vieille dame ne se fâcherait pas si sa petite-fille en donnait à ses parents.

Abbie entra sans frapper, les bras chargés. La bouffée de fraîcheur de la climatisation l'immobilisa un instant.

Une grande femme aux cheveux auburn s'écarta de la cuisinière où mijotait le repas du soir. La mère et la fille se ressemblaient beaucoup, avec quelques petites différences, toutefois. Alice Scott était maigre comme un clou et dans ses yeux tachetés, c'était le vert qui dominait.

– Tu es restée bien longtemps chez grand-maman. Elle n'est pas malade, au moins?

– Non, non, dit Abbie en allant poser ses bocaux avec précaution sur la table. Une durite a éclaté, au retour, et je viens de passer deux heures chez Jack pour la faire remplacer.

– Je ne comprends pas comment cette voiture marche encore, dit sa mère en secouant la tête.

Abbie sourit à cette remarque, aussi prévisible que l'apparition de son père, qui descendait en sifflotant. Invariablement, dès son retour du bureau, Drew Scott montait se changer, pour revenir aussitôt, vêtu d'un pantalon kaki et d'une chemise à carreaux. L'hiver, un vieux pull-over marron remplaçait la chemise.

Il entra dans la cuisine, renifla, embrassa sa femme sur la joue et prit une bière dans le réfrigérateur.

– Ça sent bon. Quand est-ce qu'on mange? demanda-t-il, juste avant d'apercevoir Abbie, debout près de la table. Tiens, je croyais que nous avions chassé celle-là du nid! Et la revoilà, à l'heure du repas, le bec ouvert.

– Il y a bien de quoi, dit Alice Scott en retournant les côtes de porc dorées dans la poêle. Tu dînes avec nous?

– Pas ce soir, maman. Merci quand même.

Abbie refusait fréquemment l'invitation de ses parents à partager leur repas. Elle s'était accoutumée à vivre seule et ne voulait pas se laisser enchaîner par de nouvelles habitudes, qui auraient compromis son indépendance.

– Tu es trop entêtée, fit Drew Scott, bien qu'il admirât secrètement ce trait du caractère de sa fille.

– Ça me vient de toi, répliqua-t-elle.

– Demain dimanche, tu déjeuneras avec nous, déclara sa mère. Ce sera agréable d'aller de nouveau à l'église tous les trois.

Son père s'éclaircit la gorge et parut mal à l'aise.

– Abe a parlé d'aller à la pêche demain. J'ai oublié de te le dire, l'autre jour.

– Drew Scott!... Tu iras à l'église. C'est la dernière fois que le révérend Augustus célébrera l'office. Il prend sa retraite.

– Alléluia!

– Drew!

– Je n'ai jamais beaucoup aimé cet homme, tu le sais bien. Et je suis enchanté qu'il s'en aille. Si je vais à l'église avec toi demain, ce sera bien la première fois que j'irai de bon cœur!

– Il n'y a pas de *si*, rectifia Alice Scott. Tu iras. Et tu assisteras au thé d'adieu que notre club de dames donne pour sa femme et lui demain après-midi.

Drew Scott coula un regard vers Abbie, une lueur de malice au fond des yeux.

– Tu y vas, toi?

– Oui, elle y va, répliqua Mme Scott pour sa fille.

Abbie écarta les bras d'un air résigné.

– Tu l'as entendue, papa. J'y vais.

– Probable que je n'aurai pas le choix non plus. Enfin! Espérons que nous n'allons pas avoir encore un pasteur « enfer et damnation ». J'aime aller à l'église pour être inspiré, pas pour y être menacé. Et alors, maman? Quelles sont les rumeurs sur notre nouveau pasteur?

La mère d'Abbie éteignit le gaz sous la poêle et parut réfléchir quelques instants.

– Personne n'a donné de détails sur lui. Il paraît qu'il est extrêmement qualifié, c'est tout ce que je sais, répondit-elle, étonnée elle-même d'être si peu renseignée. Mais nous ferons sa connaissance et celle de sa famille demain. Le révérend Augustus les présentera aux fidèles et je suis sûre qu'ils assiste-ront au thé. Tu pourras tirer tes propres conclu-sions.

Ce sujet étant apparemment clos, Abbie put poser la question qui lui trottait dans la tête depuis l'après-midi :

– Maman, pourquoi m'as-tu appelée Abra? Est-ce que ce nom avait une signification spéciale?

– En voilà une question à poser, après si long-temps! Une de mes amies avait une tante qui s'appelait comme ça et j'ai trouvé que c'était un joli nom. Pourquoi?

– Je viens d'apprendre qu'Abra était la favorite de Salomon, dans la Bible. Alors je me suis demandé si tu le savais.

– Comme c'est intéressant. Et qui t'a dit ça?

– Un touriste qui s'est arrêté pour m'aider quand Mabel est tombée en panne...

– Mabel!... En panne! s'exclama Drew Scott, d'un ton incrédule.

Abbie dut expliquer encore une fois la rupture de la durite, les deux heures de réparation au garage et son retard. Quand elle eut fini de répondre, ou d'essayer de répondre à toutes les questions de son père sur la mécanique, sa mère commençait à servir. Abbie déclina une seconde invitation à dîner et monta chez elle pour y ranger le reste des trésors de sa grand-mère.

2

Un incessant martèlement arracha Abbie au sommeil. Elle se retourna en gémissant, enfouit sa tête sous l'oreiller mais ne put étouffer complètement le bruit. Les gens qui donnaient des coups de marteau de si bonne heure, un dimanche matin, devraient être jetés en prison, pensa-t-elle avec humeur.

Dimanche matin! Elle comprit soudain que personne ne clouait rien. On frappait à sa porte. Elle rejeta les couvertures et sauta à bas de son lit, la vue encore brouillée par le sommeil, pour prendre à tâtons sa robe de chambre.

– J'arrive, j'arrive! marmonna-t-elle en l'enfilant maladroitement, dans sa hâte.

Son réveil était sur la commode, assez loin du lit pour qu'elle fût obligée de se lever afin de faire taire la sonnerie. Elle regarda le cadran, et se frotta les yeux. Une heure. Le soleil inondait la chambre, mais il ne pouvait tout de même pas être une heure de l'après-midi! Soudain, elle s'aperçut que le réveil était arrêté : elle avait tout simplement oublié de le remonter.

Il était manifestement tard mais Abbie n'avait aucune idée de l'heure. Elle traversa en courant le living-room (la pièce principale de son grenier-appartement), et alla ouvrir, en écartant de son visage la lourde masse de ses cheveux roux.

Son père était là, en costume de ville et cravate, un sourire ironique aux lèvres.

– Je n'ai pas l'impression que ce soit une tenue correcte pour aller à l'église, observa-t-il.

– Mon réveil s'est arrêté, expliqua-t-elle sans avouer qu'elle ne l'avait pas remonté. Quelle heure est-il?

– L'office commence dans dix minutes, si ça peut te renseigner.

– Je ne peux pas me préparer en cinq minutes! Maman et toi devrez y aller sans moi.

Drew Scott fit une petite grimace comique.

– Ta mère ne sera pas contente. Mais je regrette de ne pas avoir eu la même idée que toi, dit-il avec un sourire enjoué.

– Toi, ton réveil, c'est maman. Elle t'aurait fait lever bien à temps, sois tranquille!

Un coup d'avertisseur impatient se fit entendre dans l'allée.

– Ta mère a horreur d'être en retard. Qu'est-ce que je lui dis? Que tu nous rejoindras plus tard?

– Le temps que je sois prête, le service sera à moitié fini, dit-elle en secouant la tête. Tu devras présenter mes excuses au révérend Augustus et l'assurer que je viendrai pour le thé.

– Je crois que je laisserai ce plaisir à ta mère. A tout à l'heure.

Son père parti, Abbie n'avait plus aucune raison de se presser. Elle prit tout son temps pour se faire du café, et s'attarda sous la douche. Le jet tiède acheva de la réveiller. Une serviette en turban sur ses cheveux mouillés, elle remit sa robe de chambre et regagna le coin-cuisine.

Un comptoir-bar le séparait du reste de la pièce. Il y avait bien une petite table ronde et des chaises, mais elles ne servaient que lorsqu'Abbie avait des invités. Quand elle était seule, elle prenait presque toujours ses repas au comptoir.

Comme il était trop tard pour un véritable petit déjeuner, elle se contenta d'un verre de jus d'orange et de son café, qu'elle but tranquillement, perchée sur un haut tabouret de paille. Après quoi, la serviette ayant absorbé presque toute l'humidité de ses cheveux, il ne lui fallut que quelques minutes pour achever de les sécher au séchoir à main. Comme ils ondulaient naturellement, elle pouvait se passer de mise en plis, en les laissant tomber en vagues souples sur ses épaules. Elle n'eut pas de mal à choisir une robe convenant à la fois au thé d'adieu du pasteur et à la chaleur de juillet, car elle n'avait guère de choix. Elle décida que sa robe blanche à petits pois bleu marine ferait tout à fait l'affaire. Le corsage (un peu moulant, peut-être) était modérément décolleté. Une large ceinture de vernis marine soulignait la minceur de sa taille et la jupe ample s'évasait autour de ses jambes finement galbées. Ses sandales bleu marine à semelles compensées faisaient valoir la cambrure de son pied. Sur le point d'ajouter à sa toilette son bracelet à trois rangs de perles et les boucles d'oreilles assorties, Abbie hésita : le révérend Augustus réprouvait les bijoux. Après une minute ou deux d'indécision, elle résolut de les mettre quand même.

La seule pendule donnant l'heure juste était dans la cuisine. Abbie y jeta un coup d'œil : le service religieux devait être presque fini. Elle descendit et traversa le petit jardin. Contrairement à l'habitude qu'elle avait prise en ville, ses parents ne fermaient jamais les portes à clef. Personne, dans leur petite communauté, ne craignait les voleurs.

Sa mère était une personne extrêmement organisée. Tout était prêt pour le repas du dimanche, depuis la viande et les légumes, dans le four, jusqu'au plateau de hors-d'œuvre et la salade, dans le réfrigérateur. Abbie porta le plateau sur la table, déjà mise avec la plus belle nappe, la porcelaine et l'argenterie des jours de fête. Et même, exactement au centre, un bouquet de fleurs fraîchement cueillies.

Quand elle entendit la voiture de ses parents entrer dans l'allée, Abbie noua un tablier autour de sa taille et sortit le rôti du four. Elle déposait la viande sur le plat de service chaud quand ses parents entrèrent par la porte de derrière.

– Comment était l'office? demanda-t-elle en souriant, devinant que sa mère était encore fâchée de son absence à l'église.

– Le révérend Augustus a fait un excellent sermon d'adieu. Tu aurais dû être là, Abbie.

– Elle veut dire qu'il a été bref, intervint son père d'une voix taquine. Pour une fois, il n'a pas tonné et tempêté jusqu'à ce que sa voix soit couverte par les grondements d'estomac.

Mme Scott prit un autre tablier dans le tiroir pour aider sa fille à faire le service.

– Son sermon était très émouvant, déclara-t-elle.

– Pleurnichard, tu veux dire, fit Drew Scott en adressant un clin d'œil à sa fille.

– Il a un peu divagué, je te l'accorde... mais ce n'en était que plus touchant.

Abbie crut bon de détourner la conversation.

– Tu t'occupes du rôti? demanda-t-elle à son père en préparant le service à découper. Comment est le nouveau pasteur?

– Ce vieil Augustus avait la gorge tellement nouée par l'émotion qu'il a oublié de le présenter. Je suppose qu'il était assis là, dans les premiers rangs, mais l'église était tellement pleine que je n'ai pas pu le voir. J'ai eu l'impression que le révérend n'approuvait pas tellement son remplaçant, quand même.

– Tiens? Pourquoi?

– Je ne sais pas. Quelque chose dans le ton de sa

voix, quand il a parlé du « sang neuf injecté dans l'Eglise ».

– Je suis sûre qu'il voulait simplement laisser entendre que le nouveau pasteur et sa famille étaient jeunes, déclara Alice Scott. Ce doit être par simple distraction qu'il a oublié de le présenter.

– Distraction ou pas, s'il ne plaît pas au révérend Augustus, je crois qu'il me plaira, à moi, répliqua son mari.

– Tu devrais vraiment être plus tolérant, Drew Scott, lui dit sa femme en lui tendant le plat. Tiens, porte donc ça dans la salle à manger.

Le thé était prévu pour quatre heures, dans le sous-sol de l'église. Comme c'était le club de dames d'Alice Scott qui organisait la petite réception d'adieu, elle devait être là plus tôt pour aider à tout préparer. Bon gré mal gré, Abbie et son père furent recrutés pour disposer les chaises pliantes et les longues tables à tréteaux.

Abbie était fort occupée à placer les plateaux de canapés quand les invités d'honneur, le révérend Augustus et sa femme, arrivèrent à l'église en compagnie d'une dizaine d'amis intimes. Comme il restait encore à disposer les couverts et les serviettes, Abbie n'eut pas le temps d'interrompre son travail pour les saluer. Après leur arrivée, les gens arrivèrent en grand nombre et elle dut se dépêcher de terminer avant qu'ils n'approchent les buffets.

Elle tenait encore une poignée de fourchettes à gâteaux quand elle entendit des pas derrière elle. Contrainte de renoncer à la disposition recherchée qu'elle avait prévue, elle les posa rapidement une par une, en espérant que la personne patienterait encore un instant.

– Tiens, bonjour, mademoiselle Scott, dit une voix masculine, chaleureuse, qu'Abbie reconnut aussitôt.

Sans même se demander ce que Tobias Talbot pouvait bien faire à cette réception, elle se retourna vivement.

– Bonjour, monsieur Talbot.

Leurs yeux se rencontrèrent, et, pendant quelques secondes, Abbie ne vit plus que le regard bleu, intense et lumineux de Tobias Talbot... plus attirant, plus séduisant que jamais, s'avoua-t-elle aussitôt.

Puis un détail insolite attira son attention, et elle vit ce qu'elle aurait remarqué plus tôt, si elle ne s'était pas laissé captiver par le magnétique regard bleu : entre le cou hâlé et la rigueur du plastron noir, la bande blanche, étroite et rigide d'un col droit. Tobias Talbot était pasteur.

– Avez-vous trouvé une durite neuve pour Mabel ?

Abbie entendit la question, voulut répondre, mais ses cordes vocales lui refusèrent tout service. Elle ne put que hocher la tête et lever un regard médusé vers le visage de... *du pasteur*, se dit-elle, refusant encore de croire ce qu'elle voyait. Ces traits virils et réguliers, volontaires jusqu'à la dureté, mais que marquait l'empreinte des passions humaines, ne pouvaient pas être ceux d'un homme de Dieu.

Il fronça légèrement les sourcils.

– Quelque chose ne va pas ?

– Oui... non... simplement... je n'aurais jamais deviné que vous étiez pasteur. Vous n'en avez pas l'air.

– Je vois, murmura-t-il avec un petit sourire qui fit pétiller ses yeux.

– Je veux dire... Hier, sur la route, vous n'en aviez pas l'air, bredouilla-t-elle en pataugeant de plus en plus. Il est évident, enfin votre costume... je veux dire qu'aujourd'hui... je vois bien que vous l'êtes mais... Excusez-moi.

– De quoi ? C'est une réaction normale. Je ne m'étais pas rendu compte que vous habitiez Eureka

Springs, sinon j'aurais mentionné ma nomination dans votre ville.

– Mais pourtant...

Abbie s'interrompit, revécut en pensée leur rencontre de la veille, et découvrit qu'en effet elle ne lui avait pas dit où elle habitait.

– Ah ! oui. J'ai dû oublier de vous en parler.

– Je suis heureux que vous fassiez partie de ma nouvelle paroisse. Je commençais à penser qu'il n'y avait personne au-dessous de quarante ans, dans cette église, dit-il avec son irrésistible petit sourire.

Il y avait tant de charme dans son regard bleu qu'Abbie dut regarder de nouveau le col de clergyman pour se rappeler sa vocation. Elle n'avait que trop tendance à l'oublier.

– Avec l'été, les vacances, beaucoup de jeunes de mon âge préfèrent... enfin, ils ont d'autres projets, dit-elle avec tact plutôt que de reprocher au vieux pasteur d'avoir si mal su attirer la jeunesse.

– Peut-être pourrez-vous m'aider à en persuader quelques-uns de faire entrer le service religieux du dimanche dans leurs projets ? suggéra le révérend Tobias Talbot.

Abbie avait follement envie de sauter sur cette occasion, mais elle doutait fortement d'être motivée par un désir d'aider l'Eglise. Elle n'était pas loin de s'avouer que la seule chose qui l'attirait, c'était cet homme. Et pour des raisons non pas morales, malheureusement, mais on ne pouvait plus physiques. Le bien de l'Eglise n'avait certes rien à y voir !

– J'ai peur de ne pas être moi-même très pratiquante... révérend.

S'il remarqua sa légère hésitation à prononcer ce titre, il n'en montra rien.

– Vous serez donc la première brebis que je devrai ramener au bercail.

Abbie baissa les yeux, tentant de résister au

charme de ce sourire, et se morigéna. C'est son charisme, se dit-elle, l'attrait de sa puissante personnalité. Il exerce une sorte de fascination à laquelle n'importe qui succomberait.

– Abbie, as-tu fini?

La voix de sa mère interrompit ses réflexions et elle sursauta d'un air coupable, comme une petite fille surprise en train de faire une sottise. Sa mère lui lança un regard perspicace et fronça les sourcils.

– Presque, maman, répondit-elle, en s'avisant qu'il lui restait six ou sept fourchettes à la main.

Mais déjà Alice Scott s'intéressait à l'homme qui se tenait aux côtés de sa fille. Il remarqua le regard étonné qu'elle jeta malgré elle au col de son costume noir, et prit aussitôt l'initiative.

– Je suis le révérend Talbot, votre nouveau pasteur.

– Oh! pardon! bafouilla Abbie. Où ai-je la tête? Ma mère, Alice Scott.

– J'ai remarqué la ressemblance. Il est facile de voir, madame, de qui votre fille tient sa beauté.

Et, dans sa bouche, cette réflexion, qui aurait pu paraître banale exprimée par un autre, devenait un merveilleux compliment. Abbie fut stupéfaite de voir sa mère s'épanouir en rougissant comme une jeune fille. Inexplicablement, elle s'en irrita.

– Mon père doit être par là, quelque part, dit-elle en regardant autour de la salle, comme pour rappeler à sa mère qu'elle était mariée.

– Mon mari avait hâte de faire votre connaissance, révérend. Votre famille est-elle ici?

A l'idée que Tobias pouvait avoir une femme et des enfants, Abbie eut brusquement le cœur serré. Tobias! Voilà qu'elle pensait à lui en l'appelant par son prénom, maintenant? Cela devenait insensé!

– Ma famille? Vous voulez dire... ma femme? Je

30

suis une de ces raretés, madame : un pasteur célibataire.

La réponse ne laissait aucune place au doute, et Abbie en trembla de soulagement. C'était déjà assez grave d'être aussi fortement attirée par un pasteur. Que serait-elle devenue s'il avait été marié, par-dessus le marché! Elle n'osait même pas y penser.

– Je ne voulais pas être indiscrète, révérend Talbot, reprit Mme Scott, mais, comme vous le dites, c'est inhabituel.

– Je sais que je devrais m'occuper de choisir une épouse qui ait les qualités requises pour être la femme d'un pasteur, dit-il en jetant un coup d'œil à Abbie, mais je préfère attendre d'en trouver une qui me convienne, à moi, pas à mon ministère.

– Je vous soupçonne d'être anticonformiste par bien d'autres côtés, murmura Abbie en se rappelant comment il était habillé la veille, et quelle voiture il conduisait.

– On me l'a déjà dit, reconnut-il, une lueur de malice dans les yeux.

Ce n'était absolument pas l'expression d'un homme de Dieu. Abbie se dit qu'il y avait du rebelle en lui.

– Que faites-vous, quand on vous en accuse? demanda-t-elle.

– Je prie, lui répondit-il simplement, avant de se tourner vers sa mère. Ma façon d'agir, madame, est en effet souvent jugée peu conventionnelle; mais cela ne veut pas dire qu'elle soit nécessairement mauvaise.

Etait-ce sa façon d'avertir Alice Scott que ses méthodes seraient différentes de celles du précédent ministre?

– Si je comprends bien, repartit la mère d'Abbie, nous devrons nous adapter à... certaines nouveautés. Estimons-nous heureux que vous ne portiez pas la barbe et les cheveux longs! Abbie, tu devrais finir de disposer ces fourchettes. Il est temps de commencer à servir.

– Excusez-moi, mesdames.

Le révérend Talbot s'inclina courtoisement et se retira. Abbie le regarda s'éloigner pour se mêler à la foule, incapable de détacher les yeux de sa haute silhouette. Comme le noir lui allait bien! Et comme la coupe du costume mettait en valeur la largeur de ses épaules et la minceur de ses hanches... Etait-ce mal de ne pouvoir s'empêcher de le remarquer?

– Abbie! Les fourchettes!

– Oui, maman. Qu'est-ce que tu penses de lui?

Il y eut un long silence, pendant lequel sa mère se retourna pour contempler le pasteur.

– Je ne sais pas encore, répondit-elle enfin, en hochant la tête d'un air pensif.

Des gens commençaient à s'approcher des buffets quand Abbie posa les dernières fourchettes. Elle remplit deux tasses de café au percolateur et partit à la recherche de son père. Mais, malgré elle, son regard revenait sans cesse à la silhouette de Tobias Talbot, et elle dut faire un effort violent pour l'en détourner, jusqu'à ce qu'elle aperçût son père dans le fond de la salle. Il bavardait avec Ben Cooper, un de ses compagnons de pêche. Adroitement, elle se fraya un passage dans la cohue, et parvint à les rejoindre sans renverser une seule goutte de café. Absorbé par sa conversation, son père sursauta quand elle lui présenta une tasse.

– C'est pour moi, ça?

– J'ai pensé que tu devais avoir la gorge sèche, à force de raconter des histoires de pêche.

– C'est que nous sommes de grands pêcheurs... devant l'Eternel, gloussa Ben Cooper, visiblement ravi de son bon mot.

Abbie gémit de feinte horreur: la plaisanterie était vraiment un peu trop usagée. Ben Cooper, dont le bureau d'assurances voisinait avec le cabinet de Drew Scott, était un de leurs plus vieux amis.

– Je vous offrirais bien cette tasse, Ben, mais il est noir et je sais que vous préférez le vôtre noyé dans du lait.

– Ça ne fait rien, je vais m'en chercher, dit Ben Cooper en se levant. Gardez-moi ma chaise, Abbie, voulez vous ?

– Avec plaisir, répondit-elle en s'asseyant sur le siège que Ben venait de libérer.

– Ce Ben, quel numéro! murmura Drew Scott en regardant son ami s'éloigner.

Abbie acquiesça distraitement, but une gorgée de café et laissa son regard errer au hasard... jusqu'à ce qu'il se pose sur Tobias Talbot. Et, comme chaque fois qu'elle le voyait, elle se sentit obscurément troublée.

– Te voilà bien songeuse, dit son père en l'examinant avec curiosité. Qui regardes-tu comme ça?

– Notre nouveau pasteur, répondit-elle avec une indifférence bien simulée. Tu as fait sa connaissance?

– Non. Lequel est-ce?

– Cet homme, le grand, là-bas, qui parle à Mme Smith.

– Lui? Je ne l'aurais jamais pris pour un pasteur!

– C'est exactement ce que j'ai dit, avoua Abbie en riant. Devant lui, malheureusement!

– Cela ne te ressemble pas. D'habitude tu as plus de tact, il me semble.

– Ça peut arriver à tout le monde, de mettre les pieds dans le plat, non? D'ailleurs, c'est l'automobiliste obligeant dont je t'ai parlé, celui qui a rafistolé Mabel, hier, sur la route. Il a une voiture de sport, et il était en tee-shirt et bermuda. Crois-moi, il n'avait pas du tout l'air d'un pasteur.

– Evidemment. Maintenant, je comprends mieux. Et comment est sa femme?

– Il n'est pas marié.

Abbie feignit de ne pas entendre le petit sifflotement étonné de son père, mais ne put se dérober à son regard pénétrant.

– Est-ce que je détecte de l'intérêt?

– Voyons, papa, je viens de faire sa connaissance

– Et alors?

– Alors... je le connais à peine. De plus, il est pasteur.

– Pasteur. Pas curé.

La conversation prenait une tournure embarrassante, et Abbie ne fut pas fâchée de voir revenir Ben Cooper, une tasse de café dans une main et une assiette surchargée de pâtisseries dans l'autre. Elle se leva vivement.

– Je vous rends votre chaise, Ben, dit-elle en feignant un intérêt subit pour la tartelette aux groseilles qui couronnait la pyramide de petits gâteaux. Je crois que je vais aller voir ce que valent les pâtisseries.

Abbie achevait consciencieusement une tartelette quand elle s'entendit saluer par les voix haut perchées de deux adorables vieilles demoiselles. A quatre-vingts ans passés, les sœurs Coltrain pouvaient parler pendant des heures en se remémorant le passé. Abbie les écoutait toujours avec plaisir, mais elle connaissait par cœur presque toutes leurs histoires, et, inévitablement, son attention s'égara. Pour se fixer, tout aussi inévitablement, sur Tobias Talbot.

Il allait d'un groupe à l'autre pour faire la connaissance de ses nouveaux paroissiens, et, selon toute apparence, Abbie n'était pas seule à s'intéresser à lui. La salle bourdonnait de conversations dont le principal sujet était le nouveau pasteur.

C'était en principe la réception d'adieu du révérend Augustus, mais Tobias Talbot semblait lui voler la vedette. Ou bien n'était-ce qu'un effet de son imagination? Ce n'était pas parce qu'elle, Abbie Scott, était obsédée par cet homme, que tout le monde était dans le même cas...

Elle secoua la tête, porta sa tasse à ses lèvres... et s'aperçut que son café était froid.

– Vous n'allez pas refuser, ma petite Abbie, demandait la voix flûtée d'Isabel Coltrain.

Abbie revint brusquement à la réalité.

– Je... Excusez-moi, bafouilla-t-elle. Vous disiez?

– Accepteriez-vous de taper notre manuscrit, quand nous l'aurons fini? Naturellement, nous vous paierons... si ce n'est pas trop cher.

– Mais certainement, s'empressa de répondre Abbie, soulagée d'avoir repris le fil de la conversation. Je peux facilement faire cela le soir.

– Je suis si heureuse que ce jeune homme ait suggéré que nous écrivions un livre, pas toi, Esther? demanda Isabel Coltrain, toute bouillonnante d'entrain et d'énergie.

– Ce jeune homme? murmura Abbie qui perdait pied, car elle avait eu vaguement l'impression que le manuscrit était déjà en train.

– Oui, le nouveau pasteur! répondit Esther, tout aussi enthousiaste que sa sœur. Il a été fasciné par certaines histoires que nous lui avons racontées et il a insisté pour que nous les écrivions.

– Et quel bel homme! s'exclama Isabel, en levant les yeux au ciel. Il me ferait regretter mes vingt ans!

– Isabel, à ton âge! protesta la cadette, comme si une génération la séparait de son aînée.

Abbie, qui connaissait la jalousie chronique des deux sœurs, se hâta d'intervenir.

– Ce livre est vraiment une idée merveilleuse. Quand allez-vous vous y mettre?

– Oh! tout de suite, assura Esther. Nous allons commencer par jeter nos idées en vrac sur le papier, puis nous nous partagerons les sujets à traiter.

– Cela me semble pratique, reconnut Abbie, tout en pensant que ce serait la source de bien des disputes.

A voir la surexcitation croissante des deux sœurs, la prochaine n'allait pas tarder à éclater.

– Excusez-moi, dit-elle en battant en retraite, je vais réchauffer mon café.

– N'en buvez pas trop, ma petite fille, conseilla Isabel d'un air sagace.

– C'est mauvais pour le cœur, enchérit aussitôt Esther.

Abbie promit tout ce qu'on voulut, trop heureuse de s'éclipser avant l'orage.

3

La vieille pendule de bureau marquait midi moins cinq. Abbie se retourna à demi sur sa chaise pour y prendre son sac accroché par la bride et en retira un bâton de rouge et un poudrier.

Le plafonnier ne fournissait pas le meilleur éclairage pour retoucher son maquillage, mais il valait infiniment mieux que la lumière crue des toilettes. Elle pivota sur son siège pour se placer en pleine lumière pendant qu'elle ravivait le rose orangé de ses lèvres et examinait le résultat dans la glace. Satisfaite, elle passa une main dans ses cheveux pour les faire bouffer, referma le poudrier et le rangea dans son sac.

A ce moment, son père sortit de son cabinet. Il avait ôté sa veste et retroussé ses manches de chemise. A en juger par la tasse qu'il tenait à la main, il allait encore se servir du café. Depuis plus d'une heure, il était plongé jusqu'au cou dans ses livres de droit. L'étude d'une nouvelle affaire augmentait invariablement sa consommation de café.

En voyant le sac de sa fille sur le bureau il leva machinalement les yeux vers la pendule.

– Il est déjà si tard? Pas croyable... N'oublie pas d'aller faire ce dépôt à la banque.

– Mais non, l'enveloppe est là. Je vais y passer tout de suite, avant de rentrer. Tu sors pour déjeuner, ou tu préfères que je t'apporte quelque chose?

Son père réfléchit un instant.

– Est-ce que Ed doit venir à une heure, ou une heure et demie?

Abbie consulta le carnet de rendez-vous.

– Une heure.

– Alors, il vaut mieux que tu me rapportes un sandwich.

Abbie se leva et accrocha son sac à son épaule, en gardant l'enveloppe à la main.

– Je serai de retour dans une heure au plus tard, dit-elle en sortant.

Le soleil brûlant l'incita à choisir le côté ombragé de la rue. Une brise tiède s'élevait par bouffées, faisant voler le léger tissu bleu lavande de son ample robe chemisier serrée à la taille par une large ceinture élastique blanche.

La chaussée et les trottoirs étaient très animés malgré la chaleur accablante. Les touristes étaient si nombreux qu'Abbie renonça à chercher dans la foule des figures de connaissance. Quand elle tendit le bras pour pousser la porte de la banque, une main masculine la devança. Elle se tourna à demi, pour remercier d'un sourire l'inconnu qui avait eu ce geste de courtoisie. Mais l'homme qui se penchait vers elle n'était pas un inconnu : c'était Tobias Talbot.

Abbie sentit le souffle lui manquer. Elle ne s'attendait pas à être exposée aussi soudainement à son charme ravageur. Depuis trois jours, elle faisait de louables efforts pour le chasser de sa pensée, et cesser de tisser des fantasmes romanesques autour d'un... d'un clergyman!

– Comment allez-vous aujourd'hui, mademoiselle Scott? fit la voix vibrante de Tobias.

Tobias Talbot. Ministre du culte, se répéta-t-elle, en détournant le regard du visage bronzé aux traits accusés, et de l'indigo saisissant des yeux qui la dévisageaient.

– Très bien, révérend, s'entendit-elle répondre sur un petit ton prude qui l'agaça. Je vous remercie... Et vous?

Il parut amusé, mais elle ne discerna aucune raillerie dans sa voix quand il lui répondit, en retenant la porte pour la laisser passer devant lui :

– Très bien.

Et il entra derrière elle.

Les nerfs à vif, Abbie se fraya un chemin dans la foule habituelle de clients et de curieux. Véritable reconstitution d'un établissement du XIXᵉ siècle, la banque était une des attractions de la petite ville, et les visiteurs y affluaient.

Abbie contourna les chaises disposées autour d'un gros poêle rond et se dirigea vers une des caisses aux grilles de cuivre. Elle s'aperçut alors que Tobias marchait à côté d'elle, et qu'il était vêtu d'une manière bien peu conventionnelle, pour un pasteur. Un jean moulait ses hanches étroites et ses longues jambes musclées, sa chemise de sport blanche était déboutonnée au col, et il était chaussé de bottes de cow-boy!

Certes, il était libre de se vêtir comme bon lui semblait, mais comment ses ouailles reconnaîtraient-elles en lui leur ministre, s'il s'habillait comme tout le monde? Pour l'instant, Tobias Talbot semblait beaucoup plus absorbé par la contemplation du décor que par des considérations vestimentaires.

– Vraiment étonnant, dit-il en se tournant vers Abbie, après avoir observé chaque détail intérieur. Du pur style victorien!

– Oui. Il y a même des machines de bureau d'époque, dit Abbie en sentant revenir sa tension.

– En effet, je les ai vues lundi. Vous êtes en ville

pour faire des courses, ou bien c'est votre pause déjeuner?

Abbie se troubla. Elle ne s'attendait pas à une question d'ordre aussi personnel.

— Euh... Ma pause déjeuner. Mais je dois d'abord déposer ceci, dit-elle en agitant nerveusement la main qui tenait l'enveloppe.

— Où travaillez-vous?

— Je suis la secrétaire de mon père. Il est avocat.

— Rien ne vaut le népotisme pour éviter le chômage, plaisanta-t-il. Voulez-vous m'excuser? J'ai un mot à dire à l'un des directeurs.

— Je vous en prie. Il faut que je fasse ce dépôt.

La caisse la plus proche était aussi celle où la file d'attente était la plus courte. Abbie s'en approcha, tandis que Tobias Talbot s'éloignait. Les deux clients devant elle n'avaient que de petites transactions à faire, et elle n'eut pas longtemps à attendre.

— Bonjour, Roberta, dit-elle à la jeune caissière, en glissant son formulaire de dépôt sur le comptoir.

La caissière vérifia que toutes les signatures et les tampons étaient en ordre et demanda :

— Est-ce qu'il fait aussi chaud que ça en a l'air, dehors?

— Encore plus, mais il y a une petite brise agréable.

Une blonde platinée bouscula un peu Roberta et se pencha vers Abbie pour chuchoter avec animation :

— Nous mourons toutes d'envie de savoir qui est ce magnifique garçon qui est avec toi.

Frances était une ancienne camarade d'école d'Abbie à qui le mariage et deux enfants n'avaient pas fait perdre son intérêt pour les hommes.

— Quel garçon?

40

A peine avait-elle posé la question qu'Abbie comprit que Frances parlait de Tobias... du révérend Talbot.

– Quel garçon, elle dit! s'exclama Frances en donnant un coup de coude à Roberta.

– Tu dois faire allusion au révérend Talbot. C'est le nouveau pasteur de notre église, depuis que le révérend Augustus a pris sa retraite.

– Ça, le nouveau pasteur? s'exclama tout bas Frances et elle pouffa. Ah! Roberta, je crois que je viens de sauver mon âme!

– Je te comprends, murmura la caissière. C'est certainement ce que j'ai vu de plus sexy dans cette ville depuis longtemps.

– Je sens que je vais m'acheter une robe du dimanche, déclara Frances, juste pour aller à l'église.

– Tu appartiens à notre église? demanda Abbie, qui n'avait jamais vu son amie ni son mari à l'office.

– Je n'y ai pas mis les pieds depuis des années, en fait depuis que j'ai épousé Bob, mais il se pourrait que je fasse bientôt partie des fidèles.

– Et moi, je suis bien capable de me convertir, enchérit Roberta.

– Mon Dieu! Le voilà qui vient par ici. Abbie, il faut que tu nous le présentes!

Elles étaient toutes les deux dans un tel état de surexcitation qu'Abbie en fut écœurée. Un coup d'œil aux autres guichets lui révéla que Roberta et Frances n'étaient pas les seules employées à contempler le pasteur avec avidité. On chuchotait ferme, derrière les grilles de cuivre. Penser qu'elle-même réagissait aussi vivement à la présence du même homme rendait les choses encore plus désagréables.

Roberta fit glisser le reçu vers Abbie et dit, un peu plus fort qu'il n'était nécessaire :

– Tiens, Abbie.

– Merci.

Raide comme un piquet, Abbie regardait droit devant elle, comme si elle n'avait pas vu Tobias Talbot s'arrêter à ses côtés. Il lui fallut tout de même rompre son immobilité pour ranger le reçu dans son sac.

– Vous avez fini? demanda Tobias.

– Oui.

Elle se détourna vivement, évitant de croiser ce regard qui faisait naître en elle de si troublantes sensations.

– Bonjour, je suis Frances Bigsby, dit la blonde platinée. Abbie nous disait justement que vous êtes le nouveau pasteur. Soyez le bienvenu à Eureka Springs.

– Tobias Talbot. Je suis très heureux d'être parmi vous, répondit-il avec son chaleureux sourire.

– Et moi, je suis Roberta Flack.

– Enchanté de vous connaître, toutes les deux. Peut-être aurai-je le plaisir de vous voir à l'église un dimanche.

– Ça, vous pouvez y compter! répliqua Frances.

Abbie s'éloigna précipitamment du guichet, affreusement gênée, sans trop savoir pourquoi. Mais Tobias ne parut pas remarquer sa hâte et la suivit à longues enjambées.

– Vous alliez déjeuner dans un endroit particulier? demanda-t-il.

– Non. Pourquoi?

La sortie était encombrée, et Abbie fut obligée de ralentir.

– J'allais déjeuner, vous y alliez aussi... Pourquoi n'irions-nous pas ensemble? proposa-t-il. Il y a justement un restaurant au coin de la rue. Voulez-vous que nous y allions?

Apparemment, il tenait son acceptation pour

acquise... et, de toute façon elle était incapable de trouver un prétexte pour refuser.

– C'est une bonne idée, dit-elle, après une imperceptible hésitation.

Au restaurant, l'heure et l'afflux des touristes leur valurent quelques minutes d'attente avant de trouver place à une petite table, tout juste assez grande pour deux. Les genoux d'Abbie se heurtaient constamment à ceux de Tobias, quoi qu'elle fît pour l'éviter. Un client s'était installé juste derrière elle, et elle ne pouvait même pas reculer sa chaise de la table, ne fût-ce que d'un centimètre.

– Pardon, murmura-t-elle quand son genou frôla pour la quarantième fois celui de Tobias. N'allait-il pas s'imaginer qu'elle le faisait exprès ?

– On est plutôt serré, ici, dit-il simplement, une déconcertante petite lueur au fond des yeux.

– Oui, en effet.

Au comble de l'embarras, Abbie s'absorba dans la lecture du menu, s'efforçant de rester parfaitement immobile. Au moins, cela limiterait les dégâts...

– Que prendrez-vous ? demanda-t-il en ouvrant son menu à son tour.

– La salade du chef, je crois.

Son estomac n'était qu'une boule de nerfs, et un plat plus copieux n'aurait rien arrangé.

– Vous êtes au régime ? Ce n'est que l'opinion d'un homme, mais je ne vois pas comment vous pourriez améliorer votre silhouette.

Un pasteur était-il censé remarquer ce genre de choses ? Certainement pas... Et les commenter, encore moins, décida Abbie, totalement décontenancée. Mais était-ce bien à elle de réprimander un pasteur ? N'était-ce pas plutôt elle qui faussait le sens d'une banale réflexion ? Mieux valait croire que oui. Les choses n'en seraient que plus simples.

– Je ne mange jamais beaucoup par cette chaleur, dit-elle pour justifier son manque d'appétit.

Tobias Talbot parut se contenter de cette explication.

Quand la serveuse arriva, Abbie le laissa commander pour eux deux, et ne se souvint qu'à la dernière minute qu'elle avait promis de rapporter un sandwich à son père.

— Et un sandwich au rosbif pour emporter, s'il vous plaît, ajouta-t-elle précipitamment. Mon père est retenu par son travail et il n'a pas le temps de sortir pour déjeuner, précisa-t-elle à l'intention de Tobias.

— Il est avocat, me dites-vous ?

— Oui. Ce n'est qu'un petit cabinet, et il parle tout le temps de prendre sa retraite, mais il aime trop son travail pour ça. Même s'il se plaint de n'avoir pas assez de temps pour aller à la pêche, ajouta-t-elle en riant.

— C'est un pêcheur passionné, si je comprends bien.

— En effet, affirma Abbie, ne pouvant s'empêcher de penser que Tobias, lui, était un « pêcheur d'hommes ».

— Je n'ai pas eu l'occasion de faire sa connaissance dimanche dernier. Je l'ai vivement regretté. Depuis combien de temps travaillez-vous pour lui ?

— Cela fait près d'un an, maintenant.

La serveuse apportait les rafraîchissements (thé glacé pour Abbie, lait froid pour Tobias), et Abbie se plaqua contre le dossier de sa chaise pour lui faciliter la tâche. Le mouvement lui fit involontairement rencontrer le genou de Tobias, sous la table.

— Ne vous inquiétez pas, je ne vais pas m'imaginer que vous cherchez à me faire du pied ! fit-il de cette voix grave et sourde qui la troublait tant.

Pour la première fois de sa vie, Abbie comprit par expérience ce que c'était que de « piquer un fard ».

Pour comble, elle ne trouvait absolument rien à dire. Tobias parut deviner sa gêne et demanda avec aisance :

– Que faisiez-vous avant? Vous étiez à l'université?

– Non, je travaillais à la TWA, à Kansas City, répondit-elle, soulagée de la diversion.

– Comme hôtesse de l'air?

– Non, j'étais à la direction; secrétaire.

Il parut intéressé. Abbie s'arma de courage pour la question suivante; il allait certainement lui demander pourquoi elle était partie. Mais il n'en fit rien, et continua à la dévisager de son regard pénétrant.

– Il est évident que Thomas Wolfe avait tort, dit-il enfin. Il est possible de revenir au foyer.

– Au fond, je ne suis qu'une petite provinciale.

Au moment où la serveuse arrivait avec leur commande, un homme entre deux âges s'arrêta à leur table. Abbie connaissait le juge Sessions depuis qu'elle était enfant, aussi ne fut-elle pas surprise de s'entendre amicalement saluer par lui.

– Bonjour, petite fille, dit-il en tirant affectueusement sur une boucle cuivrée. Comment vas-tu, ces temps-ci?

– Très bien, monsieur le juge.

Elle lui sourit et il se tourna vers Tobias.

– Qui est avec toi? Un nouveau soupirant? demanda-t-il avec un clin d'œil taquin.

– Non, bien sûr que non, répondit précipitamment Abbie tandis que Tobias se levait déjà pour être présenté. C'est le nouveau pasteur de notre église, le révérend Tobias Talbot. Révérend, permettez-moi de vous présenter le juge Sessions, un ami de la famille.

– Révérend? s'étonna le juge en réprimant un sursaut. Ma foi, je ne l'aurais jamais cru, ajouta-t-il en serrant vigoureusement la main que Tobias lui tendait.

– Beaucoup de gens s'en étonnent, reconnut Tobias après un bref coup d'œil à Abbie.

– On vous prendrait plutôt pour un play-boy que pour un homme d'Eglise, déclara franchement le juge.

Opinion qu'Abbie partageait entièrement. Tobias était un homme de chair et de sang, débordant de vitalité, de virilité, de séduction. Sa tenue de clergyman elle-même ne pouvait le dissimuler.

– Mais c'est très bien ainsi, reprit le juge. Nous avons besoin d'autre chose que de ces tristes papelards... trop vieux pour pécher! Soyez gentil avec cette petite fille-là, ajouta-t-il en posant une main sur l'épaule d'Abbie. Il n'en existe pas de meilleure.

Puis il s'éloigna avec un amical petit geste d'adieu.

Cette fois ce fut Tobias qui frôla de son genou celui d'Abbie, en se rasseyant. Pour elle, ce contact physique constant était une véritable épreuve. Sa jupe avait remonté sur ses cuisses, mais elle ne pouvait la rabaisser sans le toucher. Elle préféra ne pas s'y risquer. D'ailleurs, il ne pouvait pas le voir, sous la table.

– Il y a longtemps que vous connaissez le juge? demanda-t-il en attaquant son poulet frit.

– Depuis toujours. Ce n'est pas surprenant que les gens soient pris de court en apprenant que vous êtes pasteur, vous savez. Vous devriez vraiment porter votre col, ils seraient au moins avertis.

S'il l'avait porté, se dit Abbie, le juge ne l'aurait pas pris pour un de ses soupirants, les filles de la banque ne se seraient pas conduites aussi effrontément... et peut-être se sentirait-elle plus en sécurité. C'était stupide, sans doute, mais elle avait l'impression que ce col blanc, à lui seul, lui aurait apporté

46

une espèce de protection... Mais contre quoi, au juste?

– Est-ce que vous avez la moindre idée de l'irritation que provoquent ces cols raides contre le cou, par une chaleur pareille? répliqua-t-il, apparemment amusé par son commentaire.

– Excusez-moi. Je ne voulais pas critiquer votre manière de vous habiller, murmura-t-elle, toute contrite.

– Ça n'a pas d'importance. Je vous promets que je le porte quand je vais voir des malades à l'hôpital, ou rendre visite à mes fidèles chez eux.

– Par certains côtés, les gens d'ici sont très conservateurs. C'était surtout à cela que je pensais, si vous voyez ce que je veux dire.

Elle pensait aussi, mais se gardait bien de le dire, qu'il paraissait avoir du péché une connaissance plus réaliste que théorique, comme l'avait laissé entendre le juge.

– Je sais. Nous sommes dans une région particulièrement pieuse, n'est-ce pas?

Elle l'examina avec attention, se demandant s'il avait parlé avec ironie, mais c'était impossible à deviner. Elle baissa les yeux sur la chemise blanche. Avec les trois premiers boutons défaits, elle pouvait entrevoir la chaîne qui disparaissait dans l'échancrure, là où des poils dorés bouclaient sur sa poitrine hâlée.

Tobias surprit son examen et les coins de sa bouche frémirent avant de devenir un franc sourire.

– Quelque chose vous tracasse?

Le cœur d'Abbie bondit contre ses côtes et elle piqua sa fourchette dans sa salade, en baissant la tête d'un air coupable.

– C'est simplement... que vous n'avez pas l'air d'un pasteur! dit-elle en soupirant, comme si elle venait de faire un difficile aveu.

Il rit, et ce rire fit vibrer les nerfs d'Abbie.

– Voyons un peu... A quoi des profanes voudraient-ils que leur pasteur ressemble ? J'imagine qu'il doit y avoir trois catégories différentes. D'abord, l'incarnation de la piété intense : celui-là est pâle, ascétique, maigre, avec des yeux profondément enfoncés, des joues creuses, une voix vibrante de ferveur. Il y a la figure du père, l'homme bienveillant aux cheveux blancs, avec un visage plein, respirant la bonté et la charité. Et puis nous avons celui qui tonne, qui prêche la colère de Dieu en montrant d'un long doigt accusateur les pécheurs. Celui-là sera barbu, très grand, avec de gros sourcils froncés...

Tobias s'interrompit pour sourire d'un air ironique.

– Comment m'y suis-je pris, jusqu'à présent ?

– Je crois que je me suis rendue coupable de parti pris, avoua Abbie, penaude.

– Tout le monde a des idées reçues. Pour moi, par exemple, une secrétaire d'avocat, c'est une femme de plus de quarante ans, les cheveux tirés en chignon sévère. Elle porte des lunettes à monture de fer et des tailleurs très stricts.

Il la contempla pendant une seconde ou deux et ajouta :

– C'est drôle, vous n'avez pas l'air d'une secrétaire d'avocat.

Abbie éclata de rire. Et, pour la première fois, son rire était sans contrainte.

– Je vous promets de ne pas recommencer, Révérend.

– J'ai enfin réussi à vous faire rire.

Le regard de Tobias se posa sur les lèvres entrouvertes d'Abbie, et elle les sentit trembler, comme sous une caresse physique.

– Nous avons franchi la première haie, déclarat-il énigmatiquement.

– Sur... quel parcours? demanda-t-elle en retenant son souffle.

– Celui de l'amitié.

– Ah?

Inexplicablement, cette réponse la déçut. Elle mangea encore quelques bouchées de salade mais la trouva fade. Elle avait trop conscience de la chaleur de la jambe de Tobias contre la sienne, de la rugosité du jean frottant son mollet nu. Il devenait urgent de relancer la conversation... mais sur un terrain neutre, cette fois.

– Avez-vous terminé votre installation au presbytère?

– Plus ou moins. J'ai encore beaucoup de caisses de livres à déballer, dit-il avec une petite grimace découragée. Vous y êtes déjà allée?

– Non.

Elle secoua légèrement la tête et le mouvement fit danser ses boucles de cuivre sur ses épaules.

– C'est vraiment gigantesque. Il y a plus de pièces que je n'en utiliserai jamais. Je vais probablement fermer la moitié de la maison.

– Elle a dû être destinée à toute une famille, plutôt qu'à un homme seul, j'imagine.

– Sans doute. C'est en fait une règle tacite : un pasteur est censé avoir choisi sa femme *avant* de sortir du séminaire et d'être affecté à sa première église.

Tobias ne paraissait pas troublé outre mesure de ne pas avoir respecté la règle.

– Mais vous ne l'avez pas fait.

– Eh non, je ne l'ai pas fait, dit-il en la regardant dans les yeux.

Elle sentit sa gorge se nouer et dut faire un effort pour reprendre :

– Je suppose que c'est ce que tout le monde attend. Qu'un pasteur soit marié, je veux dire... Il y a longtemps que vous avez été ordonné?

Elle devinait qu'il devait avoir dans les trente-cinq ans.

– Treize ans. J'en ai passé quatre dans l'armée de l'air, comme aumônier.

Il baissa enfin les yeux pour couper un morceau de poulet et elle fut soulagée d'être délivrée de son regard. Cédant à sa curiosité, elle osa à nouveau l'interroger.

– Où était votre première église?

– *C'est* ma première église, avoua-t-il.

– Vous voulez dire... Vous avez toujours été un pasteur adjoint? demanda-t-elle, un petit pli de perplexité au front.

– Non. Je travaillais dans les bureaux nationaux de l'Eglise. Mon travail était plus administratif qu'autre chose, dit-il avec un petit rictus amer. Pour diverses raisons, j'ai demandé à être affecté à une église dans une petite communauté paisible. Un répit sabbatique, en quelque sorte.

– Je vois, murmura-t-elle.

– J'en doute... mais c'est sans importance.

Une fugitive expression de scepticisme assombrit son regard, presque aussitôt réprimée. Soudain, ses yeux bleus parurent défier Abbie.

– Mais vous, mademoiselle Scott, pourquoi n'êtes-vous pas mariée?

Le terrain devenait à nouveau dangereux. Abbie ouvrit la bouche pour répondre, la referma, et rit un peu pour masquer son hésitation.

– Grand-maman Klein vous répondrait... que c'est parce que je n'ai pas assez cherché.

– Ou peut-être avez-vous cherché partout où il ne fallait pas, suggéra Tobias.

Elle fut sur le point de lui demander *où* il fallait chercher, mais se retint... juste à temps.

– Peut-être, dit-elle simplement, en déplaçant quelques feuilles de salade du bout de sa fourchette.

Son regard tomba sur le fin bracelet-montre qui cerclait son poignet, et elle sursauta.

– Mon Dieu, il est plus d'une heure! Je devrais déjà être au bureau.

Elle posa sa serviette sur la table et tendit la main vers l'addition que la serveuse avait laissée mais Tobias fut plus rapide qu'elle. Leurs doigts se touchèrent et elle sentit un frisson remonter tout le long de son bras.

– Aujourd'hui, je vous invite, déclara-t-il.

– Je vous en prie! protesta Abbie. Je n'ai vraiment pas le temps de discuter.

Elle ouvrit son sac pour prendre son argent, dans l'intention de le laisser sur la table quoi qu'il dise.

– Vous reconnaissez vous-même que vous n'avez pas le temps. Si vous insistez pour payer, vous n'aurez qu'à mettre ce que vous pensez devoir dans le plateau de la quête, dimanche.

– Je... Bon, admit-elle, en refermant son sac.

– N'oubliez pas le sandwich de votre père, dit-il en lui tendant le sachet de papier qu'elle avait laissé sur la table en se levant.

Un peu plus, et elle l'oubliait! C'était déjà assez ennuyeux d'être en retard, mais si en plus son père devait rester sur sa faim...

– Merci! dit-elle avec un sourire reconnaissant.

– A dimanche, répondit simplement Tobias.

Sur le chemin du retour, Abbie pressa le pas. Son père était un homme indulgent, facile à vivre, mais un maniaque de la ponctualité.

Quand elle entra, la porte du cabinet était fermée mais elle entendit un bruit étouffé de conversation à l'intérieur. Le rendez-vous d'une heure devait être arrivé. Abbie se débarrassa de son sac, l'accrocha au dossier de sa chaise et posa le sandwich sur son bureau. Puis elle s'assit à sa machine, les écouteurs du dictaphone aux oreilles. Avant qu'elle ait achevé de régler l'appareil, la porte du cabinet s'ouvrit à la volée.

Abbie vit que son père était irrité.

— J'ai laissé un dossier sur ton bureau.

— Voilà ton sandwich, lui dit-elle en lui tendant le sac en papier.

— Je suis surpris que tu t'en sois souvenue. Qu'est-ce qui t'a retardée?

— J'ai déjeuné avec le révérend Talbot. Je n'ai pas vu passer le temps.

Autant le dire tout de suite, puisque le juge ne manquerait pas d'en parler à son père dès qu'ils se verraient. De plus, en faire un secret signifierait qu'il y avait quelque chose à cacher.

Drew Scott haussa un sourcil étonné, mais ne fit pas de commentaire. Il ouvrit le sac pour jeter un coup d'œil dedans.

— Rosbif?

— Oui.

L'expression sévère se radoucit sensiblement.

— Au moins tu as pensé à me rapporter ce que je préfère. C'est déjà ça!

4

Il y avait longtemps qu'Abbie n'avait vu autant de monde à l'église, sinon aux fêtes de Pâques ou de Noël. La curiosité soulevée par le nouveau pasteur n'était certainement pas étrangère à cette surprenante affluence. L'assistance ne serait sûrement pas déçue. Tobias était impressionnant, en robe noire, debout devant le lutrin, tandis qu'il prononçait tranquillement son sermon.

Abbie s'aperçut soudain qu'il n'avait pas de micro et pourtant sa belle voix bien modulée portait jusqu'aux derniers rangs, sans effort. Il parlait facilement, comme s'il poursuivait une conversation au lieu de prêcher. Ses gestes n'étaient pas spectaculaires, mais naturels. Par moments, même, les fidèles riaient lorsqu'il introduisait un peu d'humour dans son message.

Quand il se tut, Abbie eut l'impression qu'il venait à peine de commencer. Elle aurait aimé qu'il continuât de parler; c'était bien la première fois qu'elle regrettait qu'un sermon ne fût pas plus long! Elle jeta un coup d'œil à ses parents, assis à côté d'elle. Son père considérait sa montre avec étonnement, et sa mère fixait un regard captivé sur le nouveau prédicateur.

Quelques minutes plus tard, ils suivirent lentement la foule qui sortait de l'église. Presque tout le monde s'arrêtait sur le seuil pour serrer la main du pasteur.

M. Scott se pencha vers sa fille pour murmurer :

– Pas mal, ton révérend, Abbie.

– Ce n'est pas *mon* révérend, papa, protesta-t-elle à voix basse.

L'insinuation la hérissait. Pourquoi imaginer qu'elle avait des rapports particuliers avec Tobias, simplement parce qu'elle avait déjeuné une fois avec lui !

– Bon, bon. Je n'ai rien dit.

Son père haussa les épaules en la laissant passer devant lui, car les fidèles s'étaient rangés en file indienne pour saluer Tobias.

Abbie attendit patiemment son tour, avec de petits frissons de plaisir anticipé, tout en observant Tobias qui échangeait quelques mots avec le couple qui la précédait. Le noir faisait paraître ses cheveux plus foncés, plus bruns que dorés, mais les habits sacerdotaux ne retiraient rien à son charme viril.

Il se tourna un instant vers elle. Le bleu vif de ses yeux s'éclaira d'une lueur qui lui donna l'impression d'avoir été particulièrement distinguée. Ce regard lui fit battre le cœur mais elle s'interdit de se flatter en lui accordant une signification spéciale. Elle n'était pour lui qu'une figure familière, quelqu'un qu'il reconnaissait au milieu d'une foule d'inconnus... et rien de plus.

Déjà, Tobias reportait son attention sur le couple. L'échange de regards n'avait duré que quelques brèves secondes. Puis les inconnus qui précédaient Abbie descendirent les marches... et elle se retrouva devant Tobias. De près, il lui parut plus grand, plus imposant dans sa longue robe. Il lui prit la main pour la serrer... et la garda.

– Alors ? Quel est le verdict ?

Elle vit pétiller ses yeux bleus quand il les baissa sur sa robe de prédicateur, comme pour lui rappeler la façon dont elle avait critiqué ses vêtements, à peine quelques jours avant.

– Verdict favorable, répondit-elle avec un sourire qui creusa des fossettes aux coins de sa bouche. Aujourd'hui, vous aviez tout à fait l'air d'un pasteur... révérend.

Il rejeta la tête en arrière et éclata d'un rire spontané en même temps que discrètement retenu. Puis il s'inclina avec une moue gentiment ironique.

– C'est le plus grand compliment qu'on m'ait fait aujourd'hui. Merci, mademoiselle.

– Il n'y a pas de quoi, révérend.

Elle chercha à se dégager, mais il la retenait fermement par la main. Elle lui jeta un regard incertain, et vit qu'il s'était tourné vers ses parents, comme pour l'inviter à faire les présentations.

– C'est votre père? demanda-t-il, d'un ton sans équivoque.

– Oui, dit-elle, acquiesçant à sa demande tacite. J'aimerais que vous fassiez sa connaissance.

Tobias consentit enfin à lui lâcher la main.

– Papa, je te présente le révérend Talbot. Révérend, mon père, Drew Scott. Vous connaissez déjà ma mère.

– Oui, j'ai ce plaisir. Heureux de vous revoir, madame. Et je suis enchanté de connaître votre mari. Comment allez-vous, monsieur Scott?

– Je me faisais une joie de vous connaître, révérend. J'ai beaucoup aimé votre sermon.

– Je crois savoir que vous êtes pêcheur? demanda Tobias.

Il ne précisa pas qu'Abbie était sa source d'information, mais le petit sourire qui éclaira le regard de Drew Scott laissait deviner qu'il s'en doutait.

– Peut-être pourrez-vous m'indiquer de bons coins, un jour, ajouta Tobias.

– Avec grand plaisir, à la condition que vous vous arrangiez pour que ma secrétaire ne soit pas en retard, la prochaine fois que vous l'inviterez à déjeuner.

– Papa! protesta Abbie d'un ton réprobateur.

Elle n'appréciait pas du tout que son père ait l'air de dire qu'elle allait encore sortir avec Tobias. Ce dernier, par contre, ne parut pas du tout fâché de la supposition.

– C'est promis, monsieur, dit-il en s'inclinant courtoisement pour mettre fin à l'entretien.

Abbie fut soulagée quand ses parents quittèrent Tobias pour descendre les marches avec elle. Les fidèles ne semblaient pas pressés de se disperser. Certains s'attardaient sur le large trottoir, s'entrenant par petits groupes. Les Scott étaient trop bien connus pour aller directement à leur voiture sans être arrêtés par quelqu'un. Comme Abbie était venue avec eux, elle fut obligée d'attendre, chaque fois que son père ou sa mère s'arrêtaient pour parler à des amis.

Inévitablement, son regard retourna vers le portail de l'église. Elle reconnut Frances Bigsby qui sortait avec ses deux enfants... mais sans son mari. La jeune femme s'arrêta pour causer avec Tobias. Pour flirter avec Tobias, pensa méchamment Abbie. Le mari de Frances brillait par son absence, mais elle remarqua que sa sœur cadette, Marjorie, était avec elle.

Soudain, Abbie s'aperçut que beaucoup de femmes avaient assisté à l'office sans leur mari, surtout celles dont la famille ne fréquentait pas régulièrement l'église. La conclusion qu'elle en tira lui déplut, car il n'était pas du tout charitable de penser qu'elles n'étaient pas venues pour accueillir leur nouveau pasteur mais plutôt pour faire la connaissance du beau célibataire qui faisait jaser toute la ville.

Elle se reprit vite, et devint très songeuse en analysant ses propres mobiles. Elle n'avait pas l'habitude de se voiler la face devant la vérité. Et la vérité était que Tobias l'attirait, physiquement, au delà de tout ce qu'elle aurait cru possible. Elle ne pouvait guère se permettre de jeter la pierre à qui que ce fut.

Abbie leva les yeux vers la pendule en retirant de sa machine la lettre qu'elle venait de taper. Il était près de midi, elle avait tout juste le temps de libeller l'enveloppe avant de sortir. On était jeudi. Il y avait exactement une semaine qu'elle avait déjeuné avec Tobias.

Cette pensée devait être vaguement présente aux confins de sa conscience, car lorsqu'elle entendit s'ouvrir la porte de la rue, son cœur ne fit qu'un bond dans sa poitrine. Elle se retourna, le visage éclairé d'un sourire, s'attendant à voir entrer Tobias. Mais le sourire se figea sur ses lèvres quand elle reconnut le juge Sessions.

— Bonjour, monsieur le juge, dit-elle avec une gaieté un peu forcée. Papa est dans son bureau. Vous ne le dérangerez pas, il est seul.

— Ce n'est peut-être pas lui que je viens voir, dit le juge d'un air taquin. Qui te dit que ce n'est pas toi?

— C'est possible, mais j'en doute, repartit Abbie, suffisamment remise de sa déception pour donner la réplique aux taquineries du juge.

Son père se montra à la porte du bureau.

— Il me semblait bien vous avoir entendu, Walter, dit-il en venant serrer la main de son vieil ami. Qu'est-ce que vous faites là, vieux brigand?

— Je viens inviter à déjeuner mon couple père-fille favori, répliqua le juge en coulant vers Abbie un regard malicieux. C'est-à-dire... si la jeune personne n'est pas déjà prise?

– Mon agenda est en effet surchargé, mais je crois pouvoir me dégager, déclara-t-elle en riant.

– Tu n'as même pas réservé un moment de loisir à cet incomparable révérend? Quand dois-tu le revoir?

Du coup, Abbie perdit toute envie de rire.

– Sans doute dimanche, à l'église, comme tout le monde, répondit-elle, plutôt froidement. Ce n'est pas parce que j'ai déjeuné une fois avec lui, d'ailleurs tout à fait par hasard, que cela doit devenir une habitude.

– Drew, je crois que cette petite est malade, déclara le juge. Voilà qu'elle essaye de prétendre que ce garçon ne l'intéresse pas.

– Mais non, il ne m'intéresse pas! protesta Abbie qui se serait volontiers mordu la langue pour avoir proféré un mensonge aussi flagrant.

– Ah oui? Et en quoi serais-tu différente de toutes les autres femmes d'ici? répliqua le juge d'un air sceptique. A ce que j'entends dire, elles se bousculent toutes pour attirer son attention.

– Vraiment? dit son père en entrant dans le jeu du juge pour taquiner Abbie. Je ne sais pas comment vous faites, Walter, mais vous êtes au courant de tous les potins. Si vous nous en disiez davantage?

– Eh bien, je crois que notre homme subit un siège en règle! Les dames lui mijotent de petits plats, lui apportent des gâteaux, des biscuits, du pain de ménage, tout ce que vous pouvez imaginer. Il n'y a pas une étagère vide dans son réfrigérateur ou ses placards.

Abbie crut devoir défendre son sexe.

– Je trouve cela très gentil. Ce sont des relations de bon voisinage, quand un nouveau venu vient s'installer chez nous.

58

– En tout cas, c'est la sagesse, dit le juge en clignant de l'œil. Ces dames savent que le chemin du cœur d'un homme passe par son estomac. On ne te l'a jamais dit?

– Tiens, j'y pense, Alice lui a justement confectionné une tarte aux pommes, mardi, déclara Drew. Je devrais peut-être mieux surveiller ma femme. Elle a passé près d'une heure au presbytère.

– Papa! Tu ne vas pas être jaloux du révérend! s'exclama Abbie, ne sachant trop s'il parlait sérieusement ou s'il se moquait d'elle.

– Ça ne me dérange pas qu'elle l'admire... du moment que ça s'arrête là, acheva-t-il en regardant sa fille d'un air enjoué.

– Il paraît que beaucoup de jeunes femmes se découvrent soudain des problèmes conjugaux, ce qui surprend beaucoup les maris, qui se croyaient heureux, intervint le juge. Et naturellement elles ont le plus grand besoin des conseils et de la compréhension de notre révérend.

Abbie pensa, non sans malaise, que Frances Bigsby devait être de celles-là. Il n'était pas difficile de comprendre ce qui poussait toute la gent féminine de la ville à prendre d'assaut le presbytère.

– Je me demande si ce sont uniquement des conseils et de la compréhension qu'elles attendent de leur pasteur, dit son père, exprimant tout haut ce qu'elle pensait.

– Il est certain que le révérend Augustus n'a jamais eu à sa disposition autant de bonnes volontés, soupira le juge. Notre pasteur ne manquera pas de main-d'œuvre pour l'aider dans ses activités paroissiales. Je parie que dimanche prochain l'église sera pleine comme un œuf.

– Je tiens le pari, enchérit aussitôt Drew Scott.

C'en était trop pour Abbie. Instantanément, elle se jura de ne pas être du nombre de ces femmes-là. Elle ne voulait pas donner à Tobias l'impression qu'elle lui courait après, comme toutes les autres. Elle n'avait jamais fréquenté l'église avec assiduité. Personne ne s'étonnerait si elle manquait l'office quelques dimanches de suite.

Elle resta très évasive, le samedi suivant, quand sa mère l'interrogea sur ses projets, et annonça seulement son intention d'aller voir sa grand-mère, ce qui sous-entendait qu'elle n'irait pas à l'église. Sa mère accueillit cette décision sans méfiance, mais son père la regarda d'un air bizarre. Cependant, il ne fit aucune réflexion.

Le lundi matin, au bureau, Abbie s'apprêtait à faire du café, quand la porte s'ouvrit, et les sœurs Coltrain entrèrent, toutes voiles dehors. Comme toujours, leurs toilettes étaient aussi peu assorties que possible! Esther arborait un imprimé criard à prédominance violette, et Isabel un ensemble d'un rose voyant, tirant sur l'orangé.

– Ah! vous voilà, Abbie! s'écria joyeusement Esther. Nous pensions bien vous trouver ici.

Les tubes fluorescents du plafond semblaient se refléter sur le violet de sa robe et donnaient une teinte lavande à ses cheveux blancs frisottés.

– Oui, je travaille ici en semaine, dit Abbie, certaine qu'elles le savaient depuis longtemps.

Aucune des deux sœurs n'avait jamais travaillé. Elles avaient été élevées dans la ferme conviction que les femmes devaient rester à la maison, mariées ou non. Par bonheur, l'héritage de leurs parents le leur permettait.

Isabel ouvrit son immense sac de tapisserie noire fleurie de roses rouges et en retira une liasse de papiers de couleurs et de formats divers, liés par un élastique.

– Nous voulions vous donner ça hier à l'église, mais vous n'êtes pas venue, expliqua Isabel.

– Qu'est-ce que c'est? demanda Abbie en prenant la liasse d'un air perplexe.

– Vous ne vous souvenez pas? s'exclama Esther avec inquiétude. Vous avez dit que vous taperiez notre manuscrit.

– Comment... Il est déjà fini?

Abbie releva les yeux du premier feuillet couvert d'une fine écriture désuète et regarda les deux sœurs avec stupéfaction.

– Oh non, pensez donc! répondit Isabel en riant à cette idée. Nous avons pensé que ce serait plus facile si nous vous donnions les chapitres un par un, à mesure que nous les rédigeons.

– Voyez tout ce que nous avons déjà écrit! enchérit Esther. Nous y avons travaillé tous les jours sans exception, n'est-ce pas, Isabel?

– C'est si amusant, Abbie! Je suis si heureuse que le révérend l'ait suggéré!

– Je comprends ça, dit Abbie, gagnée malgré elle par l'enthousiasme des deux sœurs. C'est vraiment une excellente idée!

– J'espère que vous n'aurez pas trop de mal à nous relire, chuchota Isabel en abritant sa bouche de la main pour n'être pas entendue de sa sœur. Esther écrivait si bien autrefois, mais maintenant, avec son arthrite, elle n'est pas toujours très lisible, la pauvre.

– Je ne pense pas que j'aurai de difficultés. Mais si j'ai des doutes, j'irai vous voir, promit Abbie.

– Nous ne disons à personne ce que nous faisons, lui confia Esther en posant une main protectrice sur le manuscrit. Vous êtes la seule à le savoir.

Abbie se croisa gravement les deux index, à la manière des enfants qui prêtent serment.

– Croix de bois, croix de fer... Je n'en soufflerai mot à personne. Je vais même le mettre tout de suite dans le tiroir du bas de mon bureau, ajouta-t-elle en joignant le geste à la parole.

– Vous ne le perdrez pas, au moins? s'inquiéta

Isabel en regardant disparaître le précieux document.

Abbie la rassura aussi solennellement qu'elle avait juré le secret.

– Appelez-nous dès que vous l'aurez tapé. Nous aurons d'autres chapitres prêts pour vous, dit Esther en prenant le bras de sa sœur. Viens, Isabel. Rentrons vite nous remettre au travail.

– Entendu, promit Abbie. Je vous téléphone dès que j'ai mis tout ça au net.

Sur ce, les deux sœurs quittèrent précipitamment le bureau, comme si une tâche urgente les attendait.

Ce soir-là commença pour Abbie ce qui allait devenir l'occupation régulière de toutes ses soirées. Assise à la petite table du studio, sa machine portative devant elle, les feuillets empilés à sa gauche, elle entreprit le dépouillement du manuscrit des sœurs Coltrain. Cela n'allait pas sans peine, car les vieilles demoiselles utilisaient pour leurs notes les supports les plus divers, de la copie d'écolier au papier à lettres, en passant par les feuilles de bloc-notes et les prospectus. Le tout numéroté avec la plus grande fantaisie.

Avant de commencer à taper, elle dut déchiffrer l'écriture, afin de remettre les pages en bon ordre. A mesure qu'elle avançait dans le curieux récit des deux sœurs, son attention se mua en étonnement, puis en incrédulité. Là où elle s'attendait à trouver un recueil d'anecdotes, elle découvrait un véritable roman. A partir d'authentiques souvenirs, les vieilles demoiselles avaient forgé une fiévreuse intrigue vaguement historique, dans le cadre évocateur d'Eureka Springs à la Belle Epoque.

Tous les soirs, Abbie passait trois heures à sa machine, corrigeait l'orthographe, rectifiait les maladresses et mettait la ponctuation que les deux sœurs avaient une fâcheuse tendance à oublier. C'était laborieux, mais beaucoup plus intéressant qu'elle ne l'avait cru tout d'abord. Les deux sœurs s'étaient elles-mêmes mises en scène, et leur présence rendait l'intrigue encore plus convaincante. La différence entre les deux écritures était un obstacle de plus à l'avancement régulier de ce curieux travail. A peine Abbie s'était-elle accoutumée aux pattes de mouches d'Esther qu'intervenait le graphisme désordonné d'Isabel.

Ce travail lui donna un excellent prétexte pour manquer l'office ce dimanche-là, et quand elle eut fini la première partie, les sœurs avaient déjà la suite. Elle manqua donc aussi l'office du dimanche suivant.

Les longues journées de travail, au bureau et chez elle, le soir et pendant le week-end, commencèrent à laisser leur marque. Ce lundi-là, Abbie dut faire un sérieux effort pour être à l'heure au bureau. Elle était accotée contre la table, attendant que le café achève de passer, quand son père sortit de son cabinet, sa tasse à la main, à l'instant même où elle bâillait à s'en décrocher la mâchoire.

– Tu ne peux pas continuer comme ça, Abbie, protesta-t-il en secouant la tête. Tu as besoin de sortir, de t'amuser un peu. Tous les soirs, je t'entends taper sur cette satanée machine.

– Je m'accorderai un congé ce soir, papa, promit-elle en ravalant un nouveau bâillement.

– Pas seulement ce soir. Prends-en deux, ou même trois. Va au cinéma... ou fixe rendez-vous à un garçon. Nous sommes au vingtième siècle, que diable!

– Oui, papa, acquiesça-t-elle docilement.

Docilement, mais un peu tristement. Car elle savait trop bien qu'aucun garçon ne l'intéressait... à part Tobias.

– Le café est prêt, annonça-t-elle, en voyant clignoter le signal rouge du percolateur.

– J'ai juste le temps d'avaler une tasse en vitesse, ensuite il faut que j'aille au palais, fit Drew Scott en jetant un coup d'œil à sa montre.

Son père parti, Abbie prit le temps de boire son premier café et commença à se sentir un peu plus réveillée. Elle se servit une seconde tasse et s'assit à son bureau pour lire les notes que son père lui avait laissées. Plus elle pensait à ce qu'il lui avait dit, plus elle était persuadée qu'il avait raison. Elle en était arrivée au point de taper dans ses rêves.

Elle en était là de ses réflexions quand elle entendit s'ouvrir la porte. Aussitôt, elle se redressa, prête à accueillir l'arrivant – ou l'arrivante – avec son sourire le plus aimable. Ses yeux s'agrandirent de surprise en reconnaissant Tobias Talbot.

Depuis trois semaines, c'est à peine si elle l'avait entrevu, de temps à autre, au volant de sa voiture de sport. Mais à présent il était là, en chair et en os, si grand, si mince dans son costume noir qu'en le voyant approcher avec ce sourire éblouissant, elle se sentit défaillir. L'étroit col blanc de clergyman, loin d'inspirer à Abbie le respect dû à la tenue sacerdotale, ne la rendait que plus sensible au hâle de son cou vigoureux et de son visage viril qu'illuminait son regard bleu, intensément fixé sur elle.

– Bonjour, Révérend, dit-elle avec un calme qui l'étonna.

Puis, se disant que c'était probablement son père que Tobias désirait voir, elle se hâta d'ajouter :

– Je suis navrée mais papa est absent. Il a dû aller au palais. Je pense qu'il sera de retour vers midi.

– Je ne viens pas lui demander conseil. C'est vous que je voulais voir. Au fait... bonjour, Abbie.

Il avait parlé lui aussi avec un calme parfait, mais le son de sa voix eut raison de la feinte indifférence d'Abbie. Tous ses sens furent pris de vertige. Elle ouvrit la bouche pour lui répondre, mais aucun son n'en sortit.

– Je ne vous ai pas vue à l'église, ces derniers temps. J'ai tenu à passer, pour voir si tout allait bien. Vous n'avez pas été malade, au moins ?

Abbie eut un petit sourire contraint, presque désenchanté.

– Je vois. Le bon pasteur vient chercher la brebis égarée.

L'intonation presque mordante lui fit froncer le sourcil, et ses yeux bleus parurent se rétrécir.

– Quelque chose comme ça, oui, avoua-t-il. Je manque de franches critiques, dans ma paroisse. Si je disais ou faisais quelque chose qui ne vous plaisait pas, je sais que vous me le diriez. Vous n'êtes pas du genre flatteur.

S'il n'aimait pas les flatteurs, pourquoi la flattait-il, en cherchant à lui faire croire que sa présence lui importait ? Etait-ce sa façon d'attirer les fidèles à l'église ? Apparemment, la méthode lui réussissait, songea-t-elle amèrement.

– Oh ! vous savez ce que c'est, dit-elle avec une nonchalance bien simulée. On se couche le samedi soir pleine de bonnes intentions mais on ne se réveille pas à temps pour aller à l'église le lendemain. Je vous ai averti que je n'étais pas tellement pratiquante.

– Et moi, je vous ai avertie que je vous ramènerais au bercail, lui rappela-t-il avec un curieux petit sourire.

– C'est vrai... Bon, je vous promets d'être à l'église ce dimanche. Cela vous suffit-il ?

A aucun prix, elle ne voulait qu'il la croie empressée à rechercher sa compagnie... comme toutes les autres. Car sur ce point, malheureusement, elle était exactement comme les autres. Ce qu'il ne manquerait pas de deviner si leurs relations devenaient un tant soit peu plus suivies.

– Je ne m'attendais pas à une si prompte reddition, avoua-t-il en la dévisageant attentivement.

– Demandez et vous recevrez, cita Abbie d'un ton désinvolte.

– C'est exactement ce que je compte faire. Accepteriez-vous de faire quelques travaux de dactylographie pour moi?

– Je me suis laissé dire que vous ne manquiez pas de volontaires.

– Sans doute, mais je crains que ces volontaires ne sachent taper que d'un doigt.

– Je ne demanderais pas mieux que de vous aider, mais je me suis déjà engagée auprès des... de quelqu'un d'autre, dit-elle en se rappelant qu'elle avait promis le secret aux sœurs Coltrain. Je travaille tous les soirs, et, comme je suis au bureau toute la journée, je ne vois pas comment...

– Vous ne vous reposez donc jamais? Vous allez vous rendre malade.

– J'avoue que je suis un peu fatiguée. Aussi, aujourd'hui, je m'offre une soirée de congé.

– Vous avez des projets particuliers? Un rendez-vous?

Dans une aussi petite ville, la vie de chacun se déroulait au grand jour. Si elle prétendait être prise, il saurait vite qu'elle avait menti.

– Non, dit-elle avec une indifférence voulue.

– Parfait. Dans ce cas, vous dînez avec moi, déclara Tobias en s'appuyant des deux mains sur le bureau.

Elle éprouva un désir fou d'accepter, mais se reprit aussitôt.

– Merci, dit-elle en secouant la tête. C'est vraiment gentil, mais j'envisageais surtout de passer une soirée paisible et de me coucher de bonne heure.

– Pas de problème. Nous dînerons tôt et je vous raccompagnerai tout de suite. Qu'est-ce qui vous

ferait plaisir? De la cuisine mexicaine? Une pizza?
Si vous avez une autre idée...

Il était vraiment persuasif. Elle fit une dernière
tentative pour refuser.

– Vous ne m'avez pas entendue, je crois.

– Je porterai mon col, ce soir, rien que pour vous,
railla-t-il.

Abbie respira profondément et soupira.

– Vous n'avez pas l'air de comprendre ce qu'est la
vie dans une petite ville de province. Si je dîne avec
vous ce soir, demain les bonnes langues du pays en
auront déjà fait tout un roman.

– Et alors? sourit-il en se penchant davantage
vers elle.

Il était si près d'elle, maintenant, malgré le
bureau qui les séparait, qu'elle pouvait sentir le
léger parfum de sa lotion après-rasage.

– Et alors... vous êtes pasteur, lui rappela-t-elle. Et
célibataire. Vous ne pouvez pas vous permettre de
laisser courir de tels bruits.

Il haussa les épaules avec indifférence, sans changer de position.

– Les bavardages ne peuvent me faire de tort. Si
cela ne me gêne pas, ça ne devrait pas vous inquié-
ter non plus.

– Ça ne m'inquiète pas le moins du monde,
dit-elle, à court d'arguments.

– Alors, vous dînez avec moi!

– Entendu, capitula-t-elle. Va pour une pizza.

L'atmosphère bruyante et animée d'une pizzeria
se prêtait mal à l'intimité, se dit-elle pour se rassu-
rer. Et puis on ne pouvait s'y attarder après le
repas. C'était indiscutablement le meilleur choix.

– Je passerai vous chercher à six heures et demie.
Cela vous convient?

– Oui, c'est très bien, murmura Abbie, avec la
sensation bizarre d'être en train de faire une folie.
Savez-vous où j'habite?

– Oui. Votre adresse figure dans nos registres, dit-il, révélant ainsi qu'il s'était déjà renseigné.

– C'est probablement celle de mes parents qui est indiquée. En fait, j'habite dans un appartement au-dessus du garage.

Tobias se redressa enfin.

– J'ai vécu dans un grenier, quand j'étais au séminaire. J'y ai même passé d'excellents moments, avec d'excellents amis.

– J'aime assez cela, moi aussi, murmura-t-elle, encore abasourdie par le tour qu'avaient pris les événements.

– Eh bien, au revoir Abbie. Je vous rends à vos devoirs. Je ne tiens pas à m'attirer de nouvelles remontrances de votre père.

A en juger par son sourire, il n'avait pas l'air inquiet le moins du monde.

– A ce soir ?

– A... à ce soir, balbutia-t-elle, en se demandant si elle avait encore toute sa raison.

A en croire les battements désordonnés de son cœur, on pouvait en douter.

5

Peu après cinq heures, Abbie rangeait hâtivement son bureau quand son père apparut à la porte de son cabinet, ses lunettes sur le nez et une lettre à la main.

– Abbie, commença-t-il sans remarquer qu'elle était sur le point de partir, je voudrais que tu me retapes ça. Je ne suis pas satisfait de la tournure de certaines phrases.

– Tu n'en as pas absolument besoin ce soir, papa? Il est plus de cinq heures, tu sais?

Drew Scott jeta un regard à sa montre.

– Je ne me rendais pas compte qu'il était si tard. Mais ça ne t'ennuie pas de rester quelques minutes de plus, le temps que je récrive cette lettre? Tu n'as aucune raison de te dépêcher.

– Si, justement. J'ai un rendez-vous.

Il ôta ses lunettes pour considérer sa fille d'un air surpris.

– Depuis quand? Ne me dis pas que tu as suivi mon conseil et invité un garçon!

– Non, avoua Abbie, qui n'était pas encore libérée à ce point. Le révérend Talbot est passé ce matin. Il m'a invitée à aller manger une pizza avec lui ce soir.

– Le révérend Talbot! Tiens, tiens, tiens.

Abbie connaissait bien ce ton. Il précédait immanquablement un interrogatoire en règle sur toute personne de sexe opposé susceptible de l'intéresser.

– Papa! Nous allons tout simplement manger une pizza... Ne va pas chercher midi à quatorze heures!

« Et toi non plus », ajouta-t-elle en elle-même.

– Bon. Je suppose que la lettre peut attendre... à condition que tu la retapes demain matin à la première heure, déclara-t-il, sans insister davantage sur le rendez-vous.

– Merci.

Soulagée, Abbie lui envoya un baiser du bout des doigts et se hâta de sortir du bureau pour aller reprendre sa voiture.

Il aurait sans doute été plus commode pour elle de faire le trajet avec son père mais il se levait très tôt, aimant commencer son travail quand tout était calme et qu'il ne risquait pas d'être interrompu. Abbie n'avait pas besoin d'être là avant l'ouverture du cabinet, à neuf heures, et elle s'y rendait donc le plus souvent avec sa voiture.

Mabel se faufila dans la circulation et grommela dans la rue tortueuse en montant jusqu'à la maison. Abbie n'avait qu'une heure devant elle, avant l'arrivée de Tobias, et elle ne perdit pas une minute. Pendant que la baignoire se remplissait, elle passa le chiffon à poussière sur les meubles et ramassa les magazines et les journaux épars dans la pièce.

Après un bain rapide, elle se trouva devant le difficile problème du choix d'une toilette. Rien ne lui paraissait approprié. Ses robes étaient trop moulantes, ou trop décolletées, ou trop simples. Elle finit par se décider pour un jean blanc et un pull-over en éponge velours d'un beau vert irlandais. Le décolleté pointu était un peu profond, mais il lui suffirait de se tenir bien droite, et la décence serait sauve.

Elle était en train de se coiffer quand elle entendit le vrombissement d'une voiture de sport dans l'allée. Elle donna encore quelques vigoureux coups de brosse dans ses cheveux cuivrés, accrochant, dans sa hâte, l'un des anneaux d'or qu'elle portait aux oreilles. Au même instant, elle perçut un bruit de pas dans l'escalier.

Abbie sortit précipitamment de la salle de bains et arriva à la porte au moment où Tobias frappait. Elle ouvrit, prête à lui annoncer qu'elle n'avait plus qu'à prendre son sac et qu'elle ne le ferait pas attendre, mais il parla le premier.

– J'ai quelques minutes d'avance. J'espère que je ne vous dérange pas, dit-il en pénétrant dans la pièce sans remarquer qu'elle n'avait pas lâché la poignée.

– Non, non, pas du tout. Je suis prête.

Elle remarqua tout de suite qu'il portait son col : il dépassait légèrement de son blouson de popeline bleu pâle.

– C'est très joli, chez vous, dit-il en regardant autour de lui. J'échangerais volontiers votre appartement contre le presbytère tout entier.

Abbie fronça les sourcils, en se demandant si un pasteur devrait faire de telles réflexions. Tobias devina sa pensée et poursuivit aussitôt, un sourire amusé aux lèvres :

– Ne vous inquiétez pas. Je ne viole aucun commandement : je ne convoite pas votre grenier.

– Je...

– Vous n'en étiez pas sûre.

– Non.

– Vous devriez peut-être prendre un foulard, conseilla-t-il en contemplant les cheveux cuivrés d'Abbie. J'ai baissé la capote. Le vent risque de vous décoiffer.

– Bonne idée. Je n'en ai que pour une minute, dit-elle nerveusement.

– Rien ne presse.

Abbie n'était pas de cet avis. Dans sa chambre, elle fouilla précipitamment dans le premier tiroir de sa commode jusqu'à ce qu'elle trouve son foulard de soie imprimée vert et or. Le vert n'était pas le même que celui du chandail mais s'en rapprochait assez.

Quand elle revint, Tobias était debout près de la machine à écrire et regardait la pile de feuillets manuscrits. Le bout de ses doigts reposait sur celui du dessus, comme s'ils marquaient un passage. Un frisson d'appréhension la parcourut.

Tobias perçut aussitôt sa présence et demanda :

— C'est ça, le manuscrit que vous tapez ?

— Oui...

Abbie essaya de se rappeler où elle s'était interrompue. Certains passages du récit étaient plutôt osés.

— Je suis heureux que les sœurs Coltrain aient suivi mon conseil, reprit-il en abaissant ses yeux sur le texte.

— Comment savez-vous que ceci est d'elles ?

— Je reconnais l'écriture, répondit-il avec un sourire narquois. Isabel m'a envoyé un mot. Personne n'écrit plus avec toutes ces fioritures. Pourquoi ? Leur identité doit rester secrète ?

— Elles m'ont demandé de ne pas parler de leur livre.

— Avec moi, leur secret est en lieu sûr, affirma-t-il d'un air amusé en tapotant les feuillets du doigt. A en juger par ce passage, je crois savoir pourquoi elles ne veulent pas que ça se sache.

— Quel passage ?

Abbie s'approcha anxieusement de la table et s'arrêta net quand Tobias se mit à lire :

— « Il prit le sein de Sophia dans sa main et elle crut défaillir de plaisir. »

L'exclamation étouffée d'Abbie interrompit sa lecture à la fin de la phrase, et il se retourna pour la dévisager. Elle se crut tenue de défendre les deux sœurs.

– L'intrigue est vraiment très bonne, vous savez. Il ne faut pas juger par ce petit passage. Les personnages sont intéressants et elles ont merveilleusement recréé l'atmosphère de l'époque.

Les yeux bleus de Tobias pétillèrent.

– Je ne juge pas. Pensez-vous que je sois offensé par ce que j'ai lu? Ou choqué?

Abbie se sentit soudain mal à l'aise.

– Je ne sais pas... Ça ne doit pas être votre genre de lecture habituel, bafouilla-t-elle en regardant involontairement le col de clergyman.

– Pour mon plaisir, j'aime les romans policiers. Travis McGee est un de mes personnages favoris. Et dans ses aventures, les scènes d'amour ne manquent pas.

– Ah?

Abbie n'avait aucune envie de s'égarer dans ces considérations sur les passions humaines. Et surtout pas sur l'amour charnel. Elle avait bien trop conscience d'être seule avec Tobias dans l'appartement. Depuis combien de temps était-il là? Cinq minutes? Dix? Et si sa mère ou un des voisins l'avait remarqué?

– Nous ferions mieux de partir, dit-elle, en froissant nerveusement son foulard dans sa main.

– Je crois que vous avez raison, concéda Tobias en la suivant sur le palier.

La petite lueur malicieuse avait reparu dans ses yeux. Elle sentit son regard peser sur elle, tandis qu'elle refermait la porte.

– Il y a combien de temps que vous n'avez pas reçu un homme chez vous? demanda-t-il à brûle-pourpoint.

– Pas depuis...

Elle s'aperçut qu'elle allait mentionner sans réfléchir sa rupture avec Jim, et se reprit juste à temps.

– Pas depuis un moment, dit-elle en cherchant la clef dans son sac.

Tobias attendit en haut des marches, pendant qu'elle tournait la clef dans la serrure.

– Je n'ai jamais vu personne faire cela ici, observa-t-il. Fermer sa porte à clef, je veux dire.

– C'est une habitude que j'ai prise en ville, expliqua-t-elle en le rejoignant.

L'escalier était bien assez large pour qu'ils descendent côte à côte, et elle réprima un sursaut en sentant la main de Tobias se poser au creux de ses reins. Elle ne s'attendait pas du tout à tant de familiarité. La chaleur de cette main la rendait exagérément consciente de ce grand corps masculin, mince et musclé, contre le sien. Il n'ôta pas sa main quand ils arrivèrent en bas, mais la laissa pour guider Abbie jusqu'à sa voiture. Là, il passa devant elle pour lui ouvrir la portière, et attendit qu'elle fût assise pour la refermer.

C'était une petite voiture avec des sièges baquets très rapprochés, séparés par le levier de vitesse. Elle parut encore plus exiguë quand Tobias s'installa au volant, leurs épaules se touchant presque. Abbie essaya de masquer sa confusion en nouant le foulard sous son menton. Tobias attendit qu'elle eût fini pour démarrer.

– Prête? demanda-t-il.

Elle tourna la tête pour acquiescer et reçut le choc du regard bleu, pénétrant, qui l'examinait avec attention.

– Vos yeux paraissent plus verts, avec cette écharpe.

Elle sentit son cœur s'emballer et le souffle lui manquer brusquement. Il était déjà si difficile de placer cette sortie sur le plan de l'amitié qu'elle lui aurait su gré de s'abstenir de telles réflexions.

74

C'était comme s'il établissait entre eux des relations différentes, plus intimes.

– Merci... révérend.

Elle se raccrochait à la pensée que Tobias était pasteur comme à une planche de salut.

Il la regarda d'un air songeur, puis se détourna pour mettre le contact. Le puissant moteur gronda immédiatement. Il laissa tomber sa main sur le levier de vitesse et frôla accidentellement le genou d'Abbie quand il enclencha la marche arrière.

En se retournant à demi pour reculer, il allongea son bras sur le dossier. Ses traits figés par l'attention semblaient avoir perdu toute expression. A le voir absorbé par la conduite, Abbie se sentit soudain plus détendue.

Le vrombissement du moteur et le vent de la course coupaient court à toute tentative de conversation. Elle regarda droit devant elle, en éloignant ses genoux du levier de vitesse.

La voiture surbaissée fonça dans les tortueuses petites rues bordées d'arbres. Tobias évita le centre historique de la ville et tourna vers l'est en direction de la route principale.

Quand ils arrivèrent à la pizzeria, le parking était déjà relativement plein mais ils trouvèrent deux tables libres à l'intérieur. Tobias en choisit une dans un coin isolé. Abbie se demanda s'il l'avait préférée pour l'intimité qu'elle promettait ou pour ne pas être remarqué. Il n'y avait qu'une toute petite différence entre les deux raisons, mais significative.

Dès qu'ils eurent commandé, Tobias se mit à bavarder et, sans même qu'elle s'en aperçût, la conversation devint facile et détendue. Rassurée par ses manières amicales, elle cessa de se tenir sur ses gardes.

– Je vous laisse la dernière part de pizza, Abbie,

dit-il enfin en poussant le plat vers elle, mais elle recula sa chaise en secouant ses boucles cuivrées.

– Je ne pourrais plus avaler une bouchée, révérend. Mais je vous remercie, c'était délicieux. Vraiment.

– Pas soif non plus? insista-t-il.

– Merci. Je n'ai pas terminé mon coca, dit-elle en saisissant son verre à demi plein.

Il y eut un moment de silence. Tobias la regardait boire, les yeux fixés sur ses lèvres. Puis son regard remonta lentement jusqu'à rencontrer celui d'Abbie.

– Vous ne sortez pas beaucoup, Abbie, n'est-ce pas?

Elle fit tourner la glace dans son verre d'un geste nerveux.

– Je sors autant que je veux, répondit-elle, sur un ton qui voulait laisser entendre qu'elle n'avait aucun désir de sortir davantage.

– Vous n'avez pas d'amis?

– J'en avais. Mais après quatre ans d'absence... on se perd de vue, vous savez. La plupart de mes amies sont mariées... ou parties. Mais je ne m'ennuie pas, je vous assure, Révérend. Je crois que j'aime assez ma propre compagnie, déclara-t-elle d'un ton léger.

– Ou bien vous n'êtes pas encore prête à nouer des relations intimes, si tôt après votre rupture avec ce garçon de Kansas City.

Abbie pâlit.

– Comment savez-vous... Qui vous a parlé de Jim?

– Je pourrais prétendre que j'ai simplement deviné... je sais reconnaître les traces d'une déception de ce genre. Je le soupçonnais mais, dans une petite ville, comme vous me l'avez dit, tout se sait... Etiez-vous très amoureuse de lui?

– Non. Je le croyais, mais...

76

Elle posa son verre, sentant brusquement ses nerfs se crisper. Jamais elle n'avait parlé de cette aventure à personne. Et elle n'était pas sûre de vouloir *lui* en parler non plus. D'ailleurs, il y avait si peu de chose à raconter...

– Mais je me suis remise si vite que cela ne devait pas être le grand amour, finalement.

– Que s'est-il passé?

– Rien.

Abbie découvrait soudain, avec une sorte d'humour triste, que c'était la pure vérité.

– J'étais prête à m'engager sérieusement, et il ne l'était pas. Ces rapports ne pouvaient mener à rien, alors... l'histoire s'est terminée.

– Je suis heureux qu'il n'en reste pas de cicatrices.

Dans le regard de Tobias elle put lire la compréhension et aussi... une certaine détermination. Des voix bruyantes, des rires, venaient de l'entrée de la pizzeria où un groupe de jeunes gens attendaient debout. Tobias regarda de leur côté puis il sourit à Abbie.

– La salle commence à se remplir. Nous devrions peut-être partir pour laisser la table à d'autres.

Aussitôt, elle repoussa sa chaise et se leva. Les questions de Tobias sur son petit roman d'amour sans lendemain tournaient dans sa tête, tandis qu'ils se frayaient un chemin vers la sortie. Elle commençait à penser que c'était pour cela qu'il l'avait invitée. Pour l'aider, la réconforter, comme son état lui en faisait un devoir, et non pour une autre raison, comme elle aurait pu être sottement tentée de le croire.

– Révérend...

Elle ralentit le pas quand ils s'approchèrent de la voiture. Il la regarda, avec un rien d'impatience ou d'irritation, semblait-il.

– Révérend... Est-ce que vous m'avez invitée ce

soir parce que vous avez cru que j'avais besoin de... de consolation?

Il parut sincèrement surpris par sa question.

– Cette idée ne m'est jamais venue, Abbie, affirma-t-il.

Et, apparemment, c'était la vérité. Elle se sentit brusquement le cœur plus léger, et le remercia en souriant quand il lui ouvrit la portière. Il contourna la voiture pour se mettre au volant.

– J'ai promis de vous ramener directement chez vous mais ce soir le ciel a l'air de nous promettre un magnifique coucher de soleil, dit-il en tournant la tête vers l'horizon, à l'ouest, où les nuages se teignaient déjà de rose. Voulez-vous que nous montions jusqu'à la table d'orientation pour le regarder?

– Oui, avec plaisir.

Soudain, Abbie n'était plus du tout pressée de se retrouver seule dans son appartement.

Ils n'étaient pas loin de la table d'orientation, un endroit d'où l'on dominait tout Eureka Springs. Un point d'observation idéal pour admirer les somptueuses couleurs du couchant.

Tobias arrêta la voiture au bord du parapet, face à l'ouest. Coupant le contact, il passa une main dans ses cheveux ébouriffés par le vent pour y remettre un semblant d'ordre. Une lumineuse traînée rose incendiait l'horizon, et le silence du crépuscule pénétrait Abbie d'une délicieuse langueur. Elle dénoua son écharpe pour laisser la brise tiède jouer avec ses cheveux.

– C'est presque trop beau pour être vrai, murmura-t-elle.

Il allongea un bras derrière elle, sur le dossier.

– Oui. Mais si un artiste essayait de le reproduire sur la toile, cela paraîtrait artificiel.

– C'est vrai, reconnut Abbie et, s'apercevant

qu'elle chuchotait, elle se mit à rire. Pourquoi parlons-nous si bas?

– Parce que nous sommes seuls, probablement? Cela risque de changer quand il fera nuit, répondit-il en regardant autour de lui avec un sourire. Il me semble que c'est l'endroit idéal pour des adolescents qui voudraient flirter... Est-ce ici qu'ils viennent?

– Eh bien... Dans le temps, on appelait ce site le coin des amoureux, avoua-t-elle, troublée par cette pensée.

– Est-ce que vous veniez ici, avec votre petit ami?

Elle parut soudain si gênée qu'il se mit à rire.

– Quelquefois, mais il y a bien des années de cela, révérend.

– Allez-vous cesser de m'appeler révérend à tout bout de champ? protesta-t-il avec une exaspération comique. J'ai un prénom, vous savez : Tobias.

– Je sais, révérend...

Il posa un doigt sur les lèvres d'Abbie comme pour arrêter les mots qu'il ne voulait pas entendre.

– Tobias, rectifia-t-il fermement.

Elle eut brusquement la gorge nouée et le souffle lui manqua. Il penchait la tête vers elle, son autre main reposant au creux de son épaule, et elle se sentit vertigineusement attirée par la profondeur insondable de son regard d'eau bleue. Il laissa glisser son doigt sur sa bouche, comme une caresse, et un long frisson la parcourut.

– Dites-le, ordonna-t-il d'une voix enrouée, les yeux baissés vers les lèvres d'Abbie, comme pour voir s'y former les syllabes de son nom.

– Tobias, chuchota-t-elle.

Il se rapprocha encore, et elle sut qu'il allait l'embrasser. Quand il caressa légèrement sa joue, puis son cou, elle dut se raidir contre l'embrasement soudain de tous ses sens. Il ne fallait pas, elle ne *voulait* pas...

Le premier frôlement des lèvres de Tobias fut infiniment doux, presque taquin, mais elles revinrent prendre sa bouche avec autorité. Abbie résistait encore, hésitant à répondre au baiser... Mais déjà il n'était plus temps, et Tobias ne pouvait plus ignorer à quel point elle désirait se rendre.

Quand il recula enfin pour examiner son visage, elle battit des cils, souleva lentement les paupières et leva vers lui un regard à la fois ébloui et incertain. Elle gardait les lèvres entrouvertes, et, malgré la retenue qu'elle s'imposait, tout son corps se tendait vers lui. Elle était encore trop peu sûre d'elle – et de lui – pour prendre l'initiative d'un rapprochement. Entre ses paupières alourdies, il notait tout cela avec satisfaction.

– Tobias?

L'inflexion hésitante amena sur les lèvres de Tobias ce sourire attirant, affolant, qui la faisait irrésistiblement défaillir.

– Vous vous souvenez enfin! souffla-t-il, et, de nouveau, il réduisit l'espace qui les séparait.

Elle allait s'offrir au baiser de Tobias quand la magie de l'instant fut brisée par le bruit tonitruant d'une voiture gravissant la côte. Abbie recula vivement et jeta un regard anxieux par-dessus son épaule. Tobias laissa tomber sa main de son cou sur le haut de son bras nu, comme s'il s'attendait à la voir sauter de la voiture. L'autre véhicule n'était pas encore en vue mais le bruit du moteur se rapprochait.

Tobias tourna la tête et jura dans un soupir.

– Damnation!

Puis il se redressa pour poser les deux mains sur le volant.

– Qu'est-ce que vous avez dit? demanda Abbie, complètement ahurie.

— Damnation, vous avez très bien entendu, dit-il avec un sourire ironique. J'avais un grand-père danois. Chaque fois qu'il était fâché ou furieux, il se servait de ce mot pour exprimer sa colère. Ce qui, à mon avis, vaut beaucoup mieux que de transgresser un commandement en prononçant en vain le nom du Seigneur.

Un sourire incertain frémit sur les lèvres d'Abbie. Il était donc bien fâché par cette interruption importune ?

— Oui, murmura-t-elle, c'est beaucoup mieux.

Il la contempla pendant une longue, longue seconde, qui lui parut emplie de merveilleuses promesses. Puis, avec un profond soupir, il tourna la clef de contact, au moment où une vieille voiture pleine d'adolescents se garait devant le parapet.

— Je crois qu'il vaut mieux que je vous raccompagne.

Pendant qu'il faisait marche arrière pour regagner la route, Abbie noua le foulard sur ses cheveux. Son cœur était plein d'une joie légère, qui lui donnait presque envie de chanter. Plus d'une fois, pendant le retour par les rues sinueuses, elle surprit les brefs regards que Tobias lui lançait à la dérobée. Elle ne se serait aperçue de rien si, de son côté, elle n'en avait pas fait tout autant.

Il s'arrêta devant le garage et coupa le contact. Abbie attendit qu'il fasse le tour pour lui ouvrir la portière. Il la prit par la main pour l'aider à descendre.

— J'ai passé une soirée délicieuse. Merci de m'avoir invitée, dit-elle en le laissant retenir sa main un peu plus qu'il n'était nécessaire.

— C'est *moi* qui dois vous remercier, Abbie. Je vais vous accompagner jusqu'à votre porte.

— Non, vraiment... Ne vous donnez pas la peine de monter.

— A votre aise. C'est seulement par égard pour

vous que je disais cela, vous savez. Je pensais que vous seriez peut-être gênée si je vous embrassais ici, où vos parents ou des voisins pourraient nous voir.

Il rit doucement en la voyant sursauter :

– Alors ? Toujours du même avis ?

– C'est déloyal de poser une question pareille à une jeune femme ! protesta-t-elle.

Et elle n'était pas loin de le penser. Car, dire oui, c'était reconnaître son désir d'être embrassée, et dire non... cela sauvait sans doute les apparences, mais au prix d'un mensonge éhonté.

– Je vois, taquina-t-il en la prenant par la taille pour la piloter vers l'escalier. En principe, un homme doit accompagner une femme à sa porte... et tenter sa chance, non ?

– Quelque chose comme ça, admit-elle en ôtant son foulard pour libérer ses cheveux.

Son cœur cognait violemment dans sa poitrine, tandis qu'ils montaient l'escalier côte à côte. La chaleur du corps de Tobias contre le sien la troublait délicieusement. Où tout cela la conduirait-il ? Il était encore trop tôt pour le savoir...

. – Vous avez votre clef ? demanda-t-il sur le palier.

– Oui.

Elle ouvrit son sac, y fourra le foulard et prit son trousseau de clefs.

Tobias la prit par les épaules et la tourna vers lui, l'attirant contre son torse vigoureux. Quand il inclina vers elle son visage adouci par un étrange petit sourire, elle ne vit plus que le regard intense, captivant, de ses yeux bleus.

– Eh bien... que pensez-vous de mes chances ?

La voix assourdie de Tobias agit sur elle comme un charme, et, presque sans s'en rendre compte, elle renversa la tête pour lui donner la plus éloquente des réponses. La pression des doigts musclés s'accrut pour l'attirer plus près encore, et les lèvres fermes et sensuelles de Tobias descendirent vers celles d'Abbie. Une petite voix intérieure la prévint qu'elle ne devait pas se laisser aller avec trop d'abandon : Tobias était... pasteur.

Mais c'était un homme qui la serrait dans ses bras, un homme attirant et viril, dont le corps dur et musculeux épousait voluptueusement les courbes tendres de son corps de femme... Elle leva des mains hésitantes pour les glisser autour des hanches étroites de Tobias, et, d'un geste brusque et possessif, il la plaqua étroitement contre lui.

Cette fois le baiser fut plus profond, plus subtil dans son exigence, moins tendre et plus brûlant. Abbie sentit le désir monter en elle, comme une vague prête à tout emporter. Et, en même temps, tout au fond d'elle-même, quelque chose d'autre s'éveillait, une timide réticence, comme un avertissement. Qu'allait-il penser d'elle, si, perdant toute retenue, elle lui laissait deviner la prompte défaite de ses sens? Au prix d'un prodigieux effort, elle s'écarta légèrement de Tobias, entrouvrit ses paupières alanguies et baissa les yeux sur le col blanc dépassant du plastron noir.

– Merci encore, révé... Tobias.

Lentement, il desserra son étreinte et recula un peu.

– Bonne nuit, Abbie.

Il avait déjà le pied sur la première marche quand elle répondit :

– Bonne nuit, Tobias. A dimanche.

Il se retourna brusquement.

– Sinon avant.

Ce n'était qu'un soupçon de promesse, à peine un espoir, mais Abbie souriait en ouvrant sa porte, guettant le bruit des pas de Tobias dans l'escalier.

6

– Alors? demanda Drew Scott en s'asseyant à demi sur le coin du bureau d'Abbie.

Elle écarta prudemment sa tasse de café et leva vers son père un regard perplexe.

– Alors... quoi? Il y a quelque chose qui ne va pas, dans la lettre que je viens de te donner? Une erreur quelque part?

– Pas la moindre, rassure-toi. J'attends simplement que tu me racontes comment s'est passé ton rendez-vous avec le révérend Talbot, hier soir.

Abbie évita le regard de son père et feignit d'arranger des papiers en pile bien ordonnée.

– Oh! ce n'était pas précisément ce qu'on pourrait appeler un rendez-vous, tu sais. Mais j'ai passé une bonne soirée, si c'est ce que tu veux savoir.

Drew Scott eut une petite moue dubitative.

– Une bonne soirée. C'est drôle, mais je le croyais capable de susciter... un peu plus d'enthousiasme.

– Papa! Il est pasteur! protesta-t-elle tout en s'avouant que son père avait touché juste.

– C'est un homme, fait de chair et de sang, comme nous tous, que diable! Ne le hausse pas sur un piédestal, Abbie. Est-ce que tu dois le revoir?

– Sans doute. Dimanche, à l'église.

– Tu sais très bien ce que je veux dire. Est-ce qu'il t'a invitée de nouveau à sortir avec lui?

Cette fois, elle pouvait répondre sans mentir.

– Non.

Son père réfléchit une minute à cela, en examinant sa tasse vide.

– Je suppose qu'un pasteur n'a pas beaucoup de soirées de liberté, avec les groupes de jeunes de la paroisse, les répétitions de la chorale, les devoirs de sa charge. Cela doit forcément limiter sa vie privée.

– Je n'y avais pas pensé.

En fait, c'était plutôt rassurant. Cela pouvait expliquer pourquoi Tobias s'était montré si évasif quant à leur prochaine rencontre.

Son père se claqua vigoureusement la cuisse et se leva.

– Bon. Je ferais mieux de te laisser travailler. Je me sers une dernière tasse et je retourne à mes dossiers.

Le jeudi, à l'heure du déjeuner, Abbie quitta le bureau plus tôt qu'à l'ordinaire pour aller expédier du courrier recommandé. Quand elle revint, quelques minutes avant une heure, son père passa la tête à la porte de son cabinet.

– Le révérend Talbot est passé te voir, annonça-t-il. Tu venais de partir.

La déception assombrit le visage d'Abbie. Ainsi, il avait pris l'initiative de la revoir avant le dimanche... et elle l'avait manqué!

– A-t-il dit ce qu'il voulait? demanda-t-elle d'un ton détaché.

– T'inviter à déjeuner, je suppose. Il me semble qu'il a dit qu'il essaierait de te joindre une autre fois.

Elle n'était pas plus avancée.

– Ah... bon. Merci, papa.

Elle s'assit à son bureau et inséra une feuille dans sa machine, en s'efforçant de réprimer son désappointement.

Le samedi matin, Abbie se leva de bonne heure, rassembla son linge sale et prit sa voiture pour aller à la laverie automatique. Elle avait fermement refusé de se servir de la machine de sa mère. Elle n'aurait pas voulu le faire sans lui offrir un dédommagement, et cela l'aurait amenée à passer beaucoup plus de temps chez ses parents. Tout compte fait, la laverie était encore la meilleure solution.

Sur le chemin du retour, elle passa à l'épicerie pour faire quelques provisions. Il n'était pas loin de onze heures quand elle engagea Mabel dans l'allée. Elle descendit de voiture, les bras chargés, et fouillait gauchement dans son sac pour chercher sa clef quand sa mère l'appela, du perron de la cuisine.

— Abbie! On t'a téléphoné ce matin. Comme tu ne répondais pas, on a appelé ici.

— Qui était-ce?

— Isabel Coltrain. Elle n'a pas dit ce qu'elle voulait, mais elle paraissait très pressée de te parler, répondit sa mère, débordante de curiosité. Est-ce que tu as une idée de ce qu'elle te veut?

Il n'était pas difficile de deviner qu'Isabel voulait savoir où elle en était de sa transcription, mais elle ne pouvait contenter la curiosité de sa mère sans trahir le secret des vieilles demoiselles. Elle s'en tira par une demi-vérité.

— Ce doit être au sujet de travaux de dactylographie. On commence à savoir que j'en fais à mes moments perdus. J'ai déjà eu plusieurs demandes, d'ailleurs.

— Mais que pourraient-elles vouloir faire taper?

— Qui sait?

Abbie accompagna sa réponse d'un geste vague – c'était toujours mieux qu'un mensonge – et se dirigea vers le garage.

Un bruit de moteur la fit retourner. Une voiture de sport vert foncé s'engageait dans l'allée. Abbie reconnut aussitôt la carrosserie surbaissée, et son cœur se mit à battre à grands coups.

– J'ai oublié de te dire, cria sa mère à retardement, que le révérend Talbot a aussi téléphoné.

Quand il arrêta sa voiture, coupa le contact et sauta par-dessus la portière, Mme Scott lui expliqua :

– J'étais justement en train de dire à Abbie que vous aviez cherché à la joindre.

– Ah ! merci, madame.

Tobias la salua poliment puis il marcha vers Abbie, de son long pas élastique. Il était de nouveau en jean, avec une chemise bleue largement ouverte... et pas de col de clergyman.

– Je rentre à peine, dit-elle, les yeux brillants de joie mal réprimée.

– C'est ce que je vois. Attendez, laissez-moi porter tout ça.

Elle ne protesta que pour la forme quand il s'empara du sac de provisions et se dirigea vers la porte de l'escalier.

– Je regrette de vous avoir manqué jeudi, révérend. Papa m'a dit que vous étiez passé.

– Ah non ! vous n'allez pas recommencer !

Abbie s'arrêta sur la première marche.

– Recommencer quoi ?

– A m'appeler révérend.

– Mais... n'est-ce pas ce que vous êtes ? questionna-t-elle avec un sérieux que démentait son sourire enjoué.

Instantanément, elle eut honte de son attitude : elle était bel et bien en train de l'inciter au flirt.

Il porta une main à son cou nu.

– Regardez, Abbie. Pas de col blanc, aujourd'hui. Et pas de révérend non plus. Soyez assez bonne pour vous rappeler que je m'appelle Tobias.

– C'est promis... Tobias, murmura-t-elle.

– Avez-vous des obligations pour aujourd'hui, dans votre agenda mondain?

– Les sœurs Coltrain s'impatientent. Je comptais avancer un peu le manuscrit.

– Ecoutez, il fait un temps superbe! Vous avez besoin de bon air et de soleil, et non de passer des heures attelée à votre machine à écrire, déclara-t-il d'un ton péremptoire. Je suis venu pour vous en arracher.

– Ah oui?

Abbie ouvrit sa porte, la poussa et entra en précédant Tobias. Elle exultait à la seule idée qu'il désirait passer la journée avec elle, mais elle ne voulait pas qu'il pût deviner sa joie.

– Parfaitement.

Tobias alla poser le sac de provisions sur le bar du coin cuisine et Abbie passa de l'autre côté pour tout ranger. Elle pouvait à peine soutenir le regard appuyé qu'il fixait sur elle. Ses yeux bleus avaient une expression concentrée, presque possessive, qui faisait courir du feu dans ses veines.

– Je vous demande deux minutes. Le temps de ranger ces provisions et de me changer.

Il considéra le jean bleu délavé qui moulait les hanches minces d'Abbie, le léger chemisier blanc aux manches retroussées, les lourds cheveux roux tirés en queue de cheval et retenus pàr une écharpe blanche.

– Ce que vous portez convient parfaitement, assura-t-il.

C'était une tenue de tous les jours, propre et fraîche, sans doute, mais un peu élimée par l'usage et les nombreux lavages. Elle baissa les yeux sur ses vêtements, puis regarda Tobias. S'il la trouvait suffisamment bien habillée pour l'occasion, une question se posait.

– Où allons-nous?

Il eut un petit sourire énigmatique.

– Au paradis.

– Pardon?

– J'aurais dû préciser : au paradis sur terre, dit-il avec un rire dans la voix. Un petit coin que j'ai découvert. Ravissant, tranquille à souhait : l'endroit rêvé pour un pique-nique.

– Un pique-nique! s'écria-t-elle joyeusement, séduite par cette proposition inattendue.

Mais presque aussitôt, elle reprit son sérieux, à la pensée des préparatifs. Qu'avait-elle au juste comme provisions suceptibles de convenir pour un repas improvisé? Tobias parut deviner ses pensées.

– J'ai un panier à l'arrière de la voiture, vous n'aurez à vous soucier de rien. Comme vous voyez, j'ai pensé à tout.

– Je ne peux vraiment rien apporter?

– Vous, répondit-il d'une voix un peu sourde, en la regardant avec une telle intensité qu'elle sentit ses genoux trembler. Et, cette fois, elle ne détourna pas les yeux de ceux de Tobias.

La sonnerie du téléphone retentit brusquement, rompant la tension qui s'était établie entre eux. Abbie se mordit la lèvre et jeta vers l'appareil un regard indécis.

– Ce doit être une des sœurs Coltrain, dit-elle à mi-voix, en se demandant quel prétexte elle invoquerait pour excuser son retard.

– Je vais répondre, décida Tobias en se dirigeant vers le téléphone.

Abbie voulut protester et fit un pas pour le suivre. Il avait déjà une main sur l'appareil et se retourna pour lui lancer, avant de décrocher :

– Rangez ces provisions, que nous puissions partir. Je m'occupe de nos amies.

Abbie retira du sac la bouteille de lait, en regardant anxieusement Tobias. Que penseraient les deux sœurs, quand il répondrait à sa place?

90

– Allô?... Oui, vous êtes bien chez mademoiselle Scott. Elle est occupée pour le moment. C'est le révérend Talbot à l'appareil. Que puis-je pour vous, mademoiselle Coltrain ?

Il jeta un regard par-dessus son épaule et vit qu'Abbie s'était immobilisée. Il lui sourit en lui faisant signe de se dépêcher. Sans le quitter des yeux, elle se glissa vers le réfrigérateur et ouvrit la porte pour y déposer le lait.

– Non, mademoiselle Scott n'a pas tout à fait terminé, poursuivait Tobias au téléphone. Elle comptait taper aujourd'hui, mais j'estime qu'elle a trop travaillé ces temps-ci, et je l'emmène pour la journée.

Tobias se tourna à demi pour sourire à Abbie, en ponctuant de hochements de tête le discours qu'on lui tenait à l'autre bout du fil.

– Je savais que vous le comprendriez, mademoiselle... Certainement, je le lui dirai. Au revoir.

Abbie rangea vivement le pain en voyant Tobias revenir vers elle.

– Qu'a-t-elle dit ?

– Isabel s'excuse de vous presser pour le manuscrit et espère que vous n'êtes pas trop exténuée par tout le travail que vous avez déjà fait pour elles. Elle trouve qu'une sortie est une excellente idée.

– Mais est-ce qu'elle n'a pas...

Elle n'osa pas achever la question. Elle n'aurait même pas dû songer à la poser. Il était ridicule de se soucier à ce point du qu'en-dira-t-on. Que faisait-elle de mal, après tout ?

– Est-ce qu'elle n'a pas trouvé bizarre que je réponde à votre place, c'est ça ? Il n'y a aucune raison, voyons. Il est normal qu'un pasteur rende visite à ses fidèles chez eux.

– Oui, mais...

– Mais vous êtes une jeune fille seule, très jeune, très séduisante... et je suis célibataire.

Cette fois encore, Tobias l'avait devinée.

– Quelque chose comme ça, avoua-t-elle.

– Avec leur imagination romanesque, je me doute que les deux vieilles demoiselles tremblent d'excitation à l'idée qu'il pourrait y avoir une idylle entre nous, dit-il avec un sourire ironique.

– Oh!

Qu'aurait-elle pu dire de plus? Tobias n'avait que trop bien exprimé ses craintes.

– Nous avons déjeuné ensemble, nous sommes allés dîner dans une pizzeria, et maintenant nous partons tous les deux en pique-nique. Il n'est pas extraordinaire qu'on en tire ce genre de conclusion, vous savez.

– Oui, je sais.

Calmement, Tobias contourna le comptoir, débarrassa Abbie du paquet qu'elle tenait encore et posa doucement les mains sur ses bras nus.

Ses yeux bleus défièrent les yeux noisette d'Abbie, faisant lever en elle une foule de sensations si troublantes qu'elle sentit son regard vaciller.

– Serait-ce tellement extraordinaire? demanda-t-il d'une voix insistante. N'est-ce pas la chose la plus naturelle qui soit? Répondez-moi, Abbie.

– Mais... je... Non, oui, sans doute, balbutia-t-elle, répondant aux deux questions à la fois tant sa confusion était grande.

L'effort qu'elle faisait pour nier l'évidence de ses propres sentiments était si flagrant qu'il amena un sourire sur les lèvres de Tobias.

– Vous n'en avez pas l'air trop sûre, dit-il, sans cesser de lui caresser les bras. Si ce n'est pas le début d'un amour... alors, qu'est-ce que c'est, Abbie? Dites-le moi.

– Je ne sais pas, avoua-t-elle avec un sourire incertain.

– Qu'avez-vous? Pourquoi cela vous gêne-t-il de le reconnaître?

– Sans doute... ne suis-je pas habituée à un langage aussi direct! lança-t-elle d'un ton léger, comme si le sujet était clos. Au fait, comment les sœurs Coltrain ont-elle appris que vous étiez au courant de leur manuscrit?

Tobias ne fut pas dupe de cette tentative de diversion, et une petite lueur moqueuse passa dans son regard.

– Elles m'ont invité à dîner mardi soir. Je leur ai dit que nous avions passé la soirée ensemble, la veille, et que j'avais lu deux ou trois pages du manuscrit que vous tapiez, sans révéler que j'avais reconnu leur écriture. Elles tenaient tellement à connaître mon opinion qu'elles ont avoué en être les auteurs et m'ont demandé ce que j'en pensais. Rassurez-vous, elles n'ont jamais cru que vous aviez divulgué leur secret.

– J'avoue que je l'ai craint un instant, reconnut-elle soulagée.

– Je leur ai également promis d'écrire à des amis qui sont dans l'édition, et de faire ce que je pourrai pour les aider à faire paraître leur livre.

Il lâcha enfin les bras d'Abbie et regarda dans le sac de provisions.

– Y a-t-il d'autres denrées périssables, là-dedans?

– Non, j'ai déjà tout rangé. Il ne reste que des boîtes de conserves.

– Alors, laissons cela, et en route pour la campagne! Nous avons perdu assez de temps comme ça.

– D'accord, répondit-elle aussitôt, avec le sentiment d'acquiescer d'avance, presque sans conditions, à tout ce qu'il pourrait suggérer.

Quelques minutes après être sorti de la ville, Tobias prit une petite route de campagne qui serpentait entre les collines. Abbie était complètement perdue et ne savait pas du tout où ils allaient. Elle n'avait jamais beaucoup exploré la campagne environnante, pas assez du moins pour connaître toutes les petites routes.

La chaleur du mois d'août avait brûlé l'herbe des prés, et leur belle teinte dorée mettait des touches de couleur vive sur le vert sombre des pentes boisées. Elle leva la tête, offrant son visage au vent de la vitesse qui soulevait un panache de poussière derrière la petite voiture de sport.

De légers nuages blancs dérivaient lentement dans le ciel d'un bleu intense. Très haut, un épervier décrivait des cercles, planant sans effort dans les courants ascendants. Ils longeaient une crête et les monts Ozarks moutonnaient dans le lointain comme les vagues de l'océan.

Le régime du puissant moteur changea quand Tobias leva légèrement le pied de l'accélérateur. Une ligne droite s'étendait devant eux, sans aucune route transversale. Abbie ne vit rien d'autre qu'un sentier aboutissant au portail d'un champ clôturé. Tobias freinait déjà, tout en donnant un dernier coup de volant pour engager la voiture dans le sentier. Elle vint lentement s'arrêter devant le portail, et Tobias coupa le contact.

– Nous y sommes, annonça-t-il en ôtant ses lunettes de soleil, avant de sauter lestement par-dessus la portière.

Elle regarda le portail et l'écriteau qui avertissait nettement : *Propriété privée – Défense d'entrer sous peine de poursuites.*

– Nous n'allons pas dans ce champ, j'espère ?

Elle descendit à son tour et considéra Tobias avec un étonnement mêlé d'inquiétude.

Seuls quelques grands chênes ombrageaient l'herbe jaunie du mamelon. Il n'y avait pas d'animaux paissant dans ce pâturage de montagne, mais la clôture était bien là pour en interdire l'accès.

– Attendez d'avoir admiré la vue, répondit Tobias

en se penchant pour soulever le panier du pique-nique. Croyez-vous pouvoir porter ça?

– Mais enfin, vous avez lu l'écriteau, protesta-t-elle en prenant le panier d'osier. Nous ne pouvons pas y aller!

– Mais si.

Il ouvrit son coffre pour en retirer un grand sac isotherme et se dirigea résolument vers le portail.

– Ces terres appartiennent à ma famille, expliqua-t-il.

– A votre famille? Je ne savais pas que vous aviez de la famille par ici.

– Mais je n'en ai pas.

Il s'arrêta devant le portail et posa le sac à ses pieds. Un cadenas maintenait la chaîne qui fermait la grille de bois. Tirant une clef de sa poche, il ouvrit.

– La propriété n'est pas habitée, c'est un investissement en vue d'un lotissement possible ou d'une revente dans l'avenir.

– Ah bon, fit Abbie, de plus en plus perplexe.

– Attention de ne pas trébucher sur le fil de fer, avertit Tobias quand elle s'engagea par l'étroite ouverture. Je ne voudrais pas m'attirer un procès en dommages et intérêts.

Il plaisantait mais Abbie n'en était toujours pas plus renseignée. En franchissant le portail, elle se baissa pour déchiffrer l'inscription en petits caractères, au bas de l'écriteau. Le propriétaire était la Société Tal-bar.

– La Société Tal-bar appartient à votre famille? demanda-t-elle quand Tobias la rejoignit, laissant la grille ouverte derrière eux.

– Oui. Le nom est une contraction de Talbot et de Barlow. Barlow était le nom de jeune fille de ma grand-mère et son frère était un des premiers associés, avec mon grand-père. Je pensais que nous pourrions pique-niquer là-bas, sous ce chêne.

– C'est une société importante?

On pouvait le supposer puisqu'elle possédait des terres dans les Ozarks.

– Assez, pour une affaire de famille, mais c'est loin d'être une importante compagnie nationale.

– Je suppose que votre famille a mentionné qu'elle possédait des terrains ici, quand vous avez été affecté à cette paroisse.

– A vrai dire, j'ai vécu quelques années ici, quand nous avons acheté ce domaine, ce qui fait que je m'étais déjà familiarisé avec la région, avant d'obtenir ma mutation.

– Mais vous ne vous occupez pas activement de la société, je suppose?

Ils s'étaient arrêtés sous le chêne, et, voyant Tobias appuyer le sac contre le tronc, elle posa son panier dans l'herbe. Ce qu'il venait de dire piquait sa curiosité. Un pasteur pouvait-il être également... un homme d'affaires? C'était pourtant ce qu'elle avait cru comprendre.

– Mon père tient à ce que je reste au conseil d'administration pour lui servir de conscience, dit Tobias, comme s'il avait deviné la question qu'elle se posait. Tenez, il y a une petite couverture dans le panier. Nous allons l'étaler par terre.

Apparemment, pour lui, le sujet était épuisé. Mais, tout en dépliant la couverture, Abbie restait préoccupée par ce qu'elle venait d'apprendre. Les affaires personnelles de Tobias ne la concernaient pas, mais elle ne pouvait s'empêcher de désirer en savoir plus.

– Je sais que ça ne me regarde pas, hasarda-t-elle, en commençant à sortir les plats et les ustensiles, mais j'ai dans l'idée que votre père aurait préféré vous voir entrer dans la société...

– Au lieu de devenir pasteur?

Il haussa légèrement les épaules puis il commença à disposer les récipients contenant diverses salades.

– Au commencement, il s'est opposé à moi. Jusqu'à ce qu'il comprenne que c'était vraiment ce que jevoulais.Depuisplusieursannées,j'aisabénédictionet son soutien total... et ceux de toute la famille, d'ailleurs.

Elle aurait aimé lui dire qu'elle était heureuse de savoir que sa vocation avait été si bien acceptée par sa famille, mais elle n'en fit rien. Cela aurait paru si banal... Pensivement, elle acheva de vider le panier et de disposer le couvert.

– Superbe! déclara Tobias en désignant les divers récipients disposés en demi-cercle sur la couverture. Un vrai buffet. Salade de macaronis, salade de pommes de terre, ambroisie, aspic de tomates, poulet froid, jambon, fruits, fromage... sans compter quelques paquets dont, pour être franc, j'ignore encore le contenu! ajouta-t-il en riant.

Abbie contempla cette abondance avec stupeur.

– Vous n'espérez pas que nous allons manger tout ça?

Une lueur d'amusement pétilla dans les yeux de Tobias.

– Pour tout vous avouer, c'était la manière la plus rapide de vider mon réfrigérateur. Les dames de la ville m'ont accablé d'échantillons de leurs talents culinaires.

– Elles pensent peut-être que c'est le meilleur moyen de s'attirer les faveurs d'un pasteur célibataire, insinua Abbie avec un sourire enjoué.

– « Le chemin du cœur d'un homme... », cita Tobias en riant. Malheureusement, elles ne peuvent savoir que j'ai déjà été tenté par une fille aux cheveux de cuivre qui m'a donné des fruits sur la route... Il y a des gens qui croient que c'est la pêche, et non la pomme, qu'Adam et Eve ont mangée dans le jardin d'Eden.

– Vraiment? murmura-t-elle, en détournant les yeux du regard éloquent de Tobias.

– Vraiment, railla-t-il en l'observant avec une insistance accrue. Ne pensez-vous pas avoir tout ce qu'il faut pour m'inciter au péché?

– Etes-vous sûr que ce ne soit pas l'inverse? riposta-t-elle, essayant de lui cacher son trouble en le raillant à son tour.

Il rit de bon cœur.

– Je n'ai que ce que je mérite! Vous savez très bien remettre un homme à sa place, n'est-ce pas, Abbie? dit-il gaiement en tirant du sac isotherme une bouteille de vin frappé. Ceci vient de ma réserve personnelle. Ce n'est un cadeau de personne.

Abbie le regarda avec étonnement.

– Vous avez le droit de boire du vin?

Il prit le temps de déboucher la bouteille et de servir deux verres, puis il expliqua patiemment :

– Dans l'Evangile de Matthieu, Jésus dit que ce n'est pas ce qui entre dans sa bouche, qui avilit l'homme, mais ce qui en sort. « Tout ce qui entre dans la bouche passe dans le ventre et est rejeté en quelque lieu secret! Mais ce qui sort de la bouche vient du cœur... » N'importe quel excès est mauvais pour le corps... mais c'est seulement dans l'*excès* qu'est le mal.

– C'est vrai, reconnut-elle en prenant le verre qu'il lui offrait.

– Aux temps bibliques, on buvait du vin aux repas parce que l'eau n'était pas potable, le plus souvent. C'est le fruit de la vigne que Jésus a donné à ses disciples lors de la Cène. Cela ne justifie pas pour autant l'abus de l'alcool. Mais il y a une grande différence entre boire exagérément et se permettre un verre de vin aux repas.

– Je suis d'accord, dit Abbie en examinant le frais

liquide rouge rosé. Je ne voulais pas vous reprocher d'avoir apporté du vin.

– Ah non?

– Non, même si j'ai pu en avoir l'air.

– J'ai parfois l'impression que vous êtes plus pieuse que moi, ironisa Tobias. Défense de quitter la route étroite.

– Je n'ai jamais eu l'occasion de fréquenter des pasteurs... enfin, sur le plan personnel, dit Abbie, sur la défensive. Alors je ne sais pas toujours très bien... à quoi je puis m'attendre.

– Je l'ai remarqué, murmura-t-il en hochant la tête, un léger sourire au coin des lèvres. En ce moment, vous vous demandez si je vais réciter une prière d'action de grâces avant de manger.

– C'est vrai, avoua-t-elle en riant.

Quand Tobias courba la tête, Abbie l'imita.

– Nous te remercions, ô Seigneur, pour cette abondance que tu places devant nous. Et nous te prions de combler aussi la faim de nos cœurs, par la grâce de ton amour. Amen.

– Amen, répéta-t-elle tout bas, émue par la simplicité de la bénédiction.

Et, quand elle releva la tête, ses yeux se posèrent sur Tobias, emplis d'une admiration muette.

– Bon appétit, Abbie, dit-il en haussant un sourcil, et il lui tendit le saladier.

7

Abbie n'avait goûté qu'un peu de tout, mais il y avait tant de plats qu'elle n'aurait pu avaler une bouchée de plus.

– Je crois que j'ai eu les yeux plus grands que le ventre, dit-elle en contemplant son assiette encore à moitié pleine.

– Les bêtes sauvages mangeront les restes, dit Tobias en se levant. Je vais aller vider votre assiette sur cette souche, là-bas, pour que cela n'attire pas les mouches.

Pendant qu'il s'éloignait, Abbie entreprit de reboucher les récipients et de ranger les restes de leur repas. Elle avait presque terminé quand il réapparut, et il l'aida à replacer la vaisselle et les couverts dans le panier, avant de secouer la couverture pour la débarrasser des miettes. Avec un soupir de bien-être, Abbie s'y assit, les jambes étendues, les mains à plat derrière elle. Avant qu'elle ait pu prévoir ses intentions, Tobias s'était allongé en équerre et posait sa tête sur ses genoux.

– Ça ne vous dérange pas de me servir d'oreiller? demanda-t-il, sachant pertinemment qu'il la mettait devant le fait accompli. Elle secoua la tête, ne voulant pas lui laisser deviner à quel point ce simple contact la troublait.

Tobias s'installa plus confortablement, les mains

croisées sur le ventre, soupira profondément, et ferma les yeux.

Profitant de ce qu'il ne pouvait la voir, Abbie l'examina avidement. Son masque rude, aux angles irréguliers, avait quelque chose de fascinant. Il y avait de la puissance dans la forme des pommettes, de la résolution dans la ligne de la mâchoire. Ses cils courts et fournis étaient un peu plus foncés que ses sourcils. L'arête du nez formait une très légère bosse et la bouche était admirablement dessinée, ni trop mince ni trop charnue, sensuelle et volontaire... et terriblement masculine.

L'or sombre de ses cheveux invitait à la caresse. Abbie crispa les doigts sur la couverture pour résister à la tentation de les passer dans les mèches mordorées. Elle sentait contre sa hanche et sur sa cuisse la chaleur des larges épaules, qui se répandait dans tout le reste de son corps. Et les pensées les plus folles l'assaillirent, dangereusement séductrices, quand elle laissa son regard glisser vers la poitrine vigoureuse qui se soulevait régulièrement. Le plus sage lui parut d'engager la conversation.

– Où habite votre famille, Tobias? demanda-t-elle.

Il fronça un peu les sourcils et grommela :

– Les oreillers ne sont pas faits pour parler.

Abbie eut un petit rire silencieux.

– Eh bien, celui-ci parle. Où habite votre famille?

Il poussa un soupir faussement résigné.

– Mes parents vivent à Denver.

– C'est là que la Société Tal-bar a ses bureaux?

– Oui.

– Comment cette compagnie a-t-elle été fondée?

Tobias ouvrit un œil.

– Ma parole, c'est un interrogatoire!

– Y a-t-il un autre moyen d'apprendre ce qu'on veut savoir?

– Mon grand-père et mon grand-oncle ont débuté comme ouvriers dans la prospection pétrolière, puis ils sont passés aux affaires de pétrole et de gaz, avant de se retrouver éleveurs de bétail.

La fin de la phrase parut à Abbie quelque peu énigmatique.

– Ils se sont *retrouvés* éleveurs?... Expliquez-moi donc ça.

– Mon grand-père a cru acquérir des droits miniers sur des terres fédérales et puis il s'est aperçu qu'en réalité, il avait obtenu des droits de pâturage. Alors mon grand-oncle et lui ont transformé une erreur en affaire. La compagnie possède aussi des intérêts miniers.

– Vous avez des frères et sœurs?

– Une pleine maison.

Il se rassit brusquement et se tourna vers Abbie, pour passer tranquillement un bras par-dessus ses jambes étendues.

– J'ai cinq sœurs et trois frères. Mes parents étaient partisans des familles nombreuses. Aimez-vous les familles nombreuses?

– Euh... oui.

La question l'avait prise de court, et, avant d'avoir compris ce qu'il avait en tête, elle avait déjà répondu. Il profita de son avantage :

– Combien d'enfants voudrez-vous, quand vous serez mariée?

– C'est... c'est une chose... qu'il faudra décider... avec mon mari.

Tobias se pencha plus encore, et elle sentit son cœur battre à grands coups désordonnés. Son souffle se bloqua dans sa gorge.

– Que diriez-vous si...

Il courba la tête pour lui embrasser le cou, et elle tressaillit de plaisir.

– ... si votre mari souhaitait...

Il tourna la tête pour caresser des lèvres l'autre côté de son cou.

– ... beaucoup d'enfants?

Les baisers de Tobias éveillaient en elle tant de sensations délicieuses qu'elle en oublia presque la question.

– Je crois... Je crois que ça me plairait.

La tension lui serrait la gorge, étouffant le gémissement qu'elle sentait monter à ses lèvres.

– Et s'il voulait adopter des enfants... en plus des vôtres? demanda-t-il, sa bouche contre la joue d'Abbie, réchauffant sa peau à la tiédeur de son haleine.

– Pourquoi pas? souffla-t-elle en détournant la tête pour échapper à ce péril nouveau.

Les mots moururent sur ses lèvres. Tobias avait pris sa bouche, fougueusement, comme s'il prenait possession de ce qui lui revenait de droit. Toute résistance eût été impossible... mais elle n'avait pas envie de résister. Elle entrouvrit les lèvres à son baiser, et, quand il glissa une main derrière sa taille, se cambra sous sa caresse. Un court instant, elle se demanda si l'ivresse qui la gagnait n'était pas l'effet du vin qu'elle avait bu... puis elle cessa de penser, et plus rien n'exista pour elle, hormis l'éblouissant vertige de ses sens. Elle n'eut pas conscience qu'elle tombait à la renverse sur la couverture, elle sut simplement que ses mains n'avaient plus besoin de la soutenir, qu'elles étaient maintenant libres d'enlacer les puissantes épaules de Tobias et de se glisser dans l'épaisseur de ses cheveux.

De petits gémissements de plaisir lui échappèrent quand la bouche enfiévrée de Tobias effleura son oreille, puis son cou, avant de descendre lentement vers sa gorge... Et quand elle sentit sa main lui caresser doucement le torse, les hanches, la cuisse, le tumulte de sensations nouvelles que lui révélait cette étreinte amoureuse se mua en une explosion de désir. C'était la forme de passion la plus pure qu'elle eût jamais connue, d'une beauté qui lui gonflait le cœur. C'était comme une faim exigeant d'être assouvie.

Poursuivant sa patiente exploration, la main de Tobias remonta vers ses seins. Soudain elle la sentit frôler sa peau nue, et un peu de lucidité lui revint. Elle poussa un petit cri de panique en découvrant que son chemisier était sorti du jean et que quelques boutons avaient glissé de leurs boutonnières élimées.

Affolée à l'idée de ce qu'il devait penser d'elle, Abbie se dégagea des bras de Tobias et se releva d'un bond. La respiration haletante, elle lui tourna le dos, pour échapper à son regard étonné.

– Abbie? murmura-t-il d'une voix mal assurée.

– Excusez-moi..., murmura-t-elle en tentant maladroitement de rentrer les pans de son chemisier dans sa ceinture, tâche dont ses mains tremblantes eurent du mal à s'acquitter.

Elle l'entendit se relever.

– Je ne sais pas ce qui m'a pris, insista-t-elle. Je suis désolée, ce doit être le vin...

Il la prit par les épaules et la força à se retourner, sans égard pour le corsage mal refermé.

– Ce que vous dites n'est pas très flatteur, Abbie, murmura-t-il en cherchant son regard.

Elle détournait obstinément les yeux du visage de Tobias, mais la vue de sa poitrine virile à peine cachée par la chemise moite de sueur qui lui collait à la peau, était si troublante qu'elle dut crisper les poings pour ne pas être tentée de le toucher.

– Je ne comprends pas ce que vous voulez dire, dit-elle d'une voix presque inaudible.

– Vous prétendez que c'est le vin qui vous a fait répondre à mes caresses, accusa-t-il d'une voix tendre... J'espérais que c'étaient mes baisers.

– C'est vrai. C'est-à-dire... Je me suis laissée emporter... à cause... du vin, insista-t-elle.

Il lui mit un doigt sous le menton et l'obligea à lever la tête.

– Ce n'était *pas* à cause du vin, Abbie. Vous avez aimé ces baisers et ces caresses.

– Oui, mais...

Abbie était au bord des larmes tant était grande sa crainte d'être mal jugée par lui. Jamais elle ne s'était sentie aussi vulnérable.

– Mais je ne voudrais pas que vous me croyiez immorale.

– Pourquoi diable...?

– Eh bien, parce que...

Abbie ne put en dire plus.

– Parce que je vous touchais? Parce que je voulais caresser vos seins nus? Ou parce que vous le désiriez?

– Tobias!

Elle ferma les yeux pour qu'il ne puisse y lire une confirmation de ce qu'il exprimait si franchement.

– Je suis soulagé que vous ne m'appeliez pas révérend, railla-t-il et il la secoua pour l'obliger à rouvrir les yeux. Abbie, je suis un homme, pas un saint. Vous êtes une femme ravissante avec un corps ravissant. Pensez-vous que je n'éprouve pas de désir quand je suis près de vous?

– Je ne sais pas, souffla-t-elle.

– Eh bien moi, je le sais, déclara-t-il avec un sourire. Le désir n'est pas un péché, Abbie. Le désir est une chose chaleureuse et admirable entre deux êtres qui s'aiment et vous n'avez pas à en avoir honte. C'est la lubricité, l'infidélité, l'adultère qui sont des péchés.

– Je n'avais pas honte, pas vraiment, mais simplement...

Elle s'interrompit en voyant soudain Tobias

déboutonner sa chemise et en dégager les pans du jean étroitement serré.

– Qu'est-ce que vous faites!

– Je déboutonne ma chemise. Qu'est-ce que vous croyez? Vous sembliez gênée parce que votre corsage s'est défait. J'ai pensé que vous seriez plus à l'aise si ma chemise l'était aussi.

– C'est ridicule, Tobias! protesta-t-elle, partagée entre l'étonnement et l'incrédulité.

Il éclata d'un rire si spontané qu'elle sentit toutes ses réticences s'évaporer. Puis il la prit fermement par la taille pour l'attirer dans ses bras. Une curieuse crispation prit naissance au plus profond d'elle-même quand il abaissa sa bouche vers ses lèvres pour les entrouvrir sous la tendre pression de ses baisers. Et une onde de chaleur la parcourut de la tête aux pieds quand ses mains impatientes la pressèrent plus étroitement contre lui.

Tobias resserra son étreinte avec une lenteur savante, éveillant un à un tous les sens d'Abbie en une vertigineuse progression vers un égarement ébloui. Elle tremblait quand il releva enfin la tête pour poser sur ses paupières closes un imperceptible baiser de papillon.

A regret, elle s'écarta de lui, croyant qu'il voulait mettre fin à leur étreinte, mais il resserra les bras autour d'elle pour la plaquer contre son torse vigoureux.

– Restez ici. A votre place.

Il lui prit la nuque, ses doigts s'emmêlant dans les mèches cuivrées échappées de la queue de cheval, et dirigea fermement la tête d'Abbie vers son épaule. Sans même avoir conscience de son geste, elle lui enlaça la taille, glissant les mains sous les pans de la chemise déboutonnée, à même la peau nue, et posa sa joue au creux de cette épaule ferme et chaude, respirant avec délices son odeur masculine, enivrante comme un alcool.

Tobias avait raison. Là était sa place. Là et nulle part ailleurs. C'était comme si, depuis toujours, elle avait attendu que ses bras puissants se referment sur elle, pour la faire sienne, et la garder. Elle sentit battre sous sa joue l'artère de son cou musculeux, et s'enhardit jusqu'à y poser ses lèvres pour goûter la saveur de sa peau moite. Rencontrant la fraîcheur métallique d'une chaîne, elle leva une main pour en suivre les maillons, jusqu'à la toison dorée de la poitrine. Ses doigts se refermèrent autour d'une simple croix d'or.

– Je me suis demandé ce que vous portiez au cou, chuchota-t-elle en passant le bout de ses doigts sur les légères marques d'usure que le temps avait imprimées dans le métal. Elle paraît très ancienne.

– Elle appartenait à mon grand-père. C'était un homme très pieux, par bien des côtés. Et très passionné aussi. Les deux peuvent aller de pair, vous savez.

Il courba imperceptiblement la tête pour lire sa réaction sur son visage, et ce fut seulement alors, qu'elle s'aperçut qu'il tenait un de ses seins dans sa main et le caressait nonchalamment du pouce. La chaleur de sa paume abolissait la fragile barrière que ses vêtements légers opposaient encore à un contact plus intime, et, sous cette caresse, elle eut tout à coup l'impression d'être nue. Elle se raidit, rougissant de toute sa pudeur brusquement revenue.

Devinant ce qui se passait en elle, Tobias laissa retomber sa main jusqu'à la courbe de sa hanche.

– Je sais ce que fait ma main droite, mais je n'ai aucune intention de la couper, railla-t-il tendrement. J'ai l'impression, Abbie, que vous êtes le plus pur échantillon d'éducation victorienne que j'aie jamais rencontré dans cette bonne ville d'Eureka Springs!

Croyant qu'il la raillait pour sa pruderie, elle

voulut le repousser, mais il lui encercla la taille d'un bras ferme et, une fois de plus, lui releva le menton pour la forcer à lui faire face. Une petite flamme de joie dansait dans ses yeux bleus.

– Et je suis très heureux que vous soyez ainsi, poursuivit-il tranquillement. Je vous veux telle que vous êtes, Abbie. Gardez-vous cependant d'oublier qu'il viendra un moment où nous n'aurons plus besoin de brider nos désirs.

– Oui...

Un moment très proche, apparemment, se dit Abbie, espérant de tout son cœur qu'elle ne se trompait pas.

Après un dernier baiser, très bref celui-là, Tobias consentit enfin à la libérer.

– J'avoue que j'aimerais vous garder dans mes bras jusqu'au coucher du soleil... mais je crois qu'il serait plus sage de nous mettre en route pour aller voir votre grand-mère.

– Grand-maman Klein? s'écria Abbie étourdiment comme s'il avait pu s'agir de quelqu'un d'autre (ce qui était aussi stupide qu'impossible puisqu'elle n'avait plus qu'une grand-mère en vie).

– Vous avez l'habitude de lui rendre visite pendant le week-end, n'est-ce pas? Pour le moment, il me semble que c'est la façon la plus prudente de passer le reste de la journée. Cette couverture est une tentation au-dessus de mes forces. Vous aussi, d'ailleurs.

– Pourquoi cherchez-vous toujours à me choquer? protesta Abbie, qu'une telle franchise désarçonnait complètement.

Il se baissa pour ramasser la couverture et la plier, tout en coulant vers elle un regard amusé.

– Il faut bien que je fasse quelque chose pour démolir cette image angélique que vous vous faites d'un pasteur.

– On peut dire que vous y avez réussi, observa-t-elle, se gardant bien de dire quelle révélation cette nouvelle image avait été pour elle.

– Eh bien, s'exclama-t-il en riant, il était temps!

Ranger toutes les affaires dans la voiture ne leur prit qu'un instant. Dès qu'Abbie eut indiqué à Tobias le chemin de la ferme, ils reprirent la route. Moins d'une demi-heure plus tard, la décapotable freinait devant la maison de bois peinte en blanc de grand-maman Klein.

Des poules et des poulets caquetèrent et s'enfuirent de tous côtés en battant des ailes quand la voiture stoppa au milieu d'un nuage de poussière. Un vieux chat de gouttière s'approcha pour examiner les intrus, miaula un accueil hautain en reconnaissant Abbie, et dévisagea Tobias d'un air méfiant.

– C'est Godfrey, dit Abbie en présentant le chat. Il croit que la ferme lui appartient.

– C'est bien l'impression que j'ai eue...

– Où est ta maîtresse, Godfrey?

Abbie se tourna vers la maison mais il n'y avait aucun signe de vie derrière la porte treillissée qui servait de protection contre les mouches. Le chat battit de la queue, sauta avec souplesse sur l'aile arrière de la voiture et commença à faire sa toilette, en dédaignant de servir de guide.

– Passons par derrière, elle doit être dans le jardin. Tobias accorda son pas à celui d'Abbie, une main familièrement posée au creux de ses reins. Il y avait dans ce geste possessif quelque chose qui semblait signifier qu'elle lui appartenait, et elle dut s'avouer que cette impression ne lui déplaisait pas du tout.

Comme ils poussaient la barrière du jardin, une petite femme en pantalon large et corsage à fleurs apparut au coin de la maison. La légère voussure de ses épaules était la seule marque visible de son âge avancé. Ses cheveux courts étaient encore rouge carotte (grâce à des applications régulières de henné), et sa figure tannée était parsemée de juvéniles taches de rousseur. Elle portait un seau de vingt litres plein d'épis de maïs, sans que ce fardeau parût trop lourd pour elle.

– Bonjour, grand-maman! cria Abbie.

La vieille dame s'arrêta et attendit qu'ils la rejoignent, mais elle ne posa pas le seau. Ses yeux verts, vifs et pénétrants, examinèrent Tobias des pieds à la tête sans omettre un seul détail.

– Je pensais que tu devais être dans le jardin, dit Abbie. J'aimerais bien que tu n'y travailles pas en pleine chaleur.

– A mon âge, il faut que je me remue, répliqua sa grand-mère, avant de se retourner vers Tobias. Enfin, tu te décides à me présenter un garçon, déclara-t-elle. Ce n'est pas trop tôt!

Puis, sans leur laisser le temps de parler, elle regarda la voiture de sport, derrière eux.

– C'est à vous, ça? J'ai toujours rêvé de foncer à tombeau ouvert dans un de ces bolides décapotables, avec mes cheveux volant dans le vent. Je les portais plus longs, quand j'étais jeune, il faut dire.

– Je vous emmènerai faire une promenade quand vous voudrez, madame Klein, proposa Tobias avec un demi-sourire engageant. Je suis Tobias Talbot.

– Enchantée de vous connaître, Tobias Talbot. Ma fille, tu as choisi un homme fort et viril. Je parie qu'une semaine après le mariage, il aura mis en route un héritier.

– Grand-maman! s'écria Abbie, atterrée.

Jamais sa grand-mère ne lui avait parlé de la sorte. Bien sûr, elle l'avait toujours pressée de se marier et de fonder une famille et, en bonne fermière, elle n'avait jamais été gênée d'évoquer les accouplements des animaux. Il est probable qu'Abbie n'aurait pas trouvé sa réflexion aussi scandaleuse, si...

– Monsieur Talbot est pasteur, grand-maman.

– Et alors? C'est un homme, pas vrai? répliqua la vieille dame sans se troubler. Autant qu'il sache tout de suite que j'aimerais avoir au moins un arrière-petit-fils avant de mourir.

– Rien ne presse. Tu n'es pas si vieille, protesta Abbie en cherchant un moyen d'expliquer avec tact à sa grand-mère qu'elle se méprenait sur la situation.

– Si j'en juge par le temps qu'il t'a fallu pour trouver l'homme qu'il te faut, je ne dirais pas que rien ne presse. J'étais mariée à dix-sept ans et j'ai bercé mon premier bébé à dix-huit. Tu as déjà vingt-trois ans, Abbie. Tu as vraiment pris tout ton temps pour te fiancer...

– Tobias et moi ne sommes pas fiancés, grand-maman.

– Je croyais que c'était pour ça que tu me l'amenais, s'étonna la vieille dame, un peu gênée. Tu n'es encore jamais venue me voir avec un homme.

– C'est moi qui ai suggéré cette visite, intervint Tobias. Abbie m'a dit qu'elle venait généralement vous voir pendant le week-end. Comme nous avons pique-niqué pas très loin d'ici, il paraissait logique de passer.

Selon toute apparence, *lui* n'était guère troublé par la méprise de la vieille dame.

– Permettez-moi de porter ce seau pour vous, dit-il en s'avançant d'un pas.

– Je peux très bien le faire, grommela-t-elle sur un ton bourru, encore irritée par son erreur.

– Je n'en doute pas, insista Tobias en souriant, mais mon père me tannerait les côtes si je ne vous le portais pas, comme tout gentleman doit le faire.

Abbie fut ahurie de voir sa grand-mère lui abandonner le seau. Chaque fois qu'elle proposait de porter quelque chose de lourd pour elle, elle se faisait rabrouer avec impatience.

– Vous pouvez le poser sur la véranda de derrière, dit-elle. Et puis nous rentrerons pour boire une citronnade fraîche.

– Voilà de bien beaux épis à griller, madame Klein.

– Ce n'est pas toujours facile de devancer les rats musqués et les daims. Il faut voir les ravages qu'ils font dans mon jardin! bougonna-t-elle, car elle ne cessait de prétendre qu'elle livrait une guerre constante contre les animaux sauvages. Tu en emporteras un sac, Abbie, pour toi et tes parents. Et il faudra en emporter aussi, monsieur Talbot. Ou est-ce que je dois vous appeler révérend?

Il jeta un coup d'œil ironique à Abbie en répondant :

– Tobias, je vous en prie, madame.

Quand Tobias et Abbie sortirent de la maison une heure plus tard, ils avaient les bras chargés de sacs. En plus du maïs, grand-maman Klein leur avait donné des bocaux de tomates en conserve et de confiture de pêches. Elle les suivit jusqu'à la voiture pour leur dire au revoir.

– Alice a dit qu'elle viendrait mardi pour m'aider à rentrer le reste du maïs, dit-elle pendant qu'Abbie s'installait dans le siège-baquet. Dis-lui d'apporter des couvercles de bocaux.

– Certainement.

– N'oubliez pas, Tobias, que vous avez promis de m'emmener faire un tour dans cette voiture, un de ces jours.

– Voulez-vous samedi prochain? proposa-t-il. Nous irons nous promener tous les deux, pendant qu'Abbie préparera le déjeuner.

– Ça, ce serait chouette! répliqua la grand-mère en retrouvant l'argot de sa jeunesse.

– Eh bien, c'est d'accord.

Tobias tourna la clef de contact et, pour le plaisir de la vieille dame, fit deux ou trois fois le tour de la cour avant de repartir par le chemin de ferme.

– Votre grand-mère est une femme étonnante! cria-t-il pour dominer le bruit du moteur.

Abbie approuva de la tête, sans même tenter de parler. Le grondement de la voiture et le sifflement du vent auraient couvert sa voix. Le vrombissement s'accrut quand ils accélérèrent sur la route principale d'Eureka Springs.

Le trajet parut excessivement court, tout comme la journée avait été brève, mais il était déjà plus de cinq heures quand Tobias s'arrêta dans l'allée de la maison. Abbie descendit et se pencha pour prendre le sac rangé derrière le siège avant.

– Je vais vous le porter là-haut, proposa Tobias.

– Merci, mais il faut que je partage d'abord avec mes parents, expliqua Abbie en se redressant gauchement, le sac dans les bras. J'ai passé une journée merveilleuse et le pique-nique était délicieux.

Elle réprima un soupir de regret. Elle se rappelait si bien cette fois où il avait menacé de l'embrasser à la vue de tous, si elle ne le laissait pas monter chez elle. Mais cette fois-ci, quel prétexte invoquer? Monter ensemble pour redescendre aussitôt avec le sac serait un peu trop révélateur, pour quiconque les observerait.

– Je vous verrai à l'église demain, dit-il.

Et, avant qu'elle ait pu faire un geste, il avait déposé un baiser sur ses lèvres.

Ce fut seulement quand la décapotable eut disparu au tournant de l'allée qu'elle remarqua sa corbeille de linge, encore posée sur le siège arrière de Mabel.

Il était là, son prétexte! Maudissant son manque d'à-propos, elle poussa un second soupir, encore plus profond que le premier.

Son père se montra à la porte de la cuisine, une petite poubelle à la main.

– C'est le révérend qui vient de partir?

– Oui. Nous sommes allés chez grand-maman Klein, répondit Abbie en attendant à la porte pendant qu'il allait vider la petite poubelle dans la grande. J'ai du maïs doux, pour maman et toi.

– Tu as passé toute la journée avec le révérend? demanda-t-il en lui prenant le sac. Je croyais que tu tapais dans ton appartement tout l'après-midi.

– Nous avons fait un pique-nique, et puis nous sommes allés chez grand-maman.

– Est-ce que j'entends carillonner des cloches? taquina-t-il.

– Papa! Tu es impossible!

– Pourquoi? Est-ce que le révérend serait du genre coureur? Il paraît que les représentants en bibles sont assez portés sur la bagatelle. Les pasteurs sont peut-être faits du même bois, qui sait?

– Papa, tu n'es pas drôle! protesta-t-elle.

La pensée que Tobias pourrait s'amuser d'elle lui était tout simplement insupportable.

8

Abbie contemplait distraitement le menu fermé sur la table, devant elle. Elle avait quitté le bureau de bonne heure pour passer à la poste avant de retrouver Tobias pour déjeuner. Mais elle n'avait pas tenu compte de la diminution du nombre des touristes, avec la rentrée des classes. Elle s'était attendue à trouver la poste pleine de monde, et maintenant, elle était en avance. Ils avaient rendez-vous à midi et il était à peine moins cinq.

Depuis un mois, ils se voyaient assez régulièrement. Ils déjeunaient ensemble, généralement deux fois par semaine, et sortaient pour dîner ou aller au cinéma au moins une fois, le soir. A moins que Tobias n'eût à travailler à un sermon, ils passaient ensemble une partie du samedi, et rendaient assez souvent visite à grand-maman Klein, qui était positivement toquée de la voiture.

– Georges, est-ce que ce n'est pas le jeune révérend Talbot qui parle au juge, près de la porte?

Abbie se ranima visiblement en entendant la question posée par une voix de femme. Les tables étant séparées par des cloisons, elle ne pouvait apercevoir la personne qui avait parlé, ni en être vue. Elle se retourna, mais, de sa place, elle ne pouvait pas voir Tobias non plus.

– Oui, je crois que c'est lui, répondit une voix

masculine, celle du Georges en question, sans aucun doute.

– Encore une fois, il n'a pas son col, déclara la dame sur un ton réprobateur qui amena un sourire sur les lèvres d'Abbie. Sa conduite n'est pas du tout correcte, pour un pasteur.

– Tu ne peux tout de même pas le condamner simplement parce qu'il ôte son col de temps en temps, dit Georges en prenant la défense de l'accusé. C'est comme une cravate, probablement. Quand je ne travaille pas, je n'en porte pas.

– Ce n'est pas seulement ça, Georges, insista la voix féminine. C'est sa façon de s'exhiber avec cette petite Scott...

Puisqu'Abbie avait commencé à être indiscrète, autant continuer. Elle savait que des ragots couraient sur la fréquence de ses rendez-vous avec Tobias, mais elle n'était pas fâchée d'en avoir le cœur net.

– Ils sont libres tous les deux, non? Je ne vois pas ce qu'il fait de mal en sortant avec elle.

Hourra pour Georges, pensa Abbie. Lui, au moins, les défendait contre les insinuations malveillantes de sa femme... En supposant que cette personne fût sa femme.

– Elle n'habite pas chez ses parents, tu sais, comme beaucoup de gens le pensent. Elle s'est aménagé un appartement pour elle, dans le grenier au-dessus du garage. C'est tout à fait indépendant de la maison, dit la femme, et elle baissa la voix pour prendre un ton plus confidentiel. Il paraît le révérend est allé chez elle... (La phrase s'acheva dans un murmure inaudible).

– Vraiment? (Georges s'en moquait, c'était évident.)

– Tu ne trouves pas bizarre qu'elle soit revenue si brusquement de Kansas City? Il paraît qu'elle aurait abandonné un très bon emploi. Si tu veux

mon avis, une fille aussi jolie que la petite Scott...
(Aussi jolie... tiens, tiens! Abbie sourit malgré elle)...
qui n'est toujours pas mariée... cela cache quelque
chose.

Maintenant, Abbie ne souriait plus.

– Tu as un talent remarquable, Maude, pour voir
le péché chez les autres.

– Je persiste à penser qu'il devrait courtiser une
jeune fille sérieuse, au lieu de... Ne te retourne pas
tout de suite, Georges, le voilà qui vient par ici! (La
voix s'éleva d'un ton :) Ah, bonjour, révérend! Comment allez-vous?

– Très bien, merci, fit la voix de Tobias.

Une seconde après, il entra dans le champ de
vision d'Abbie. Elle le regarda brièvement, les
lèvres crispées dans une tentative de sourire. Il
s'assit sur la banquette en face d'elle, une lueur
chaleureuse dans ses yeux bleus.

– Bonjour, Abbie. Je croyais devoir vous attendre.

– J'avais deux petites courses à faire.

Elle ouvrit le menu, en s'interdisant de se laisser
troubler par les insinuations déplaisantes qu'elle
avait surprises. Mais Tobias la connaissait trop bien
pour ne pas deviner son malaise.

– Qu'est-ce qui ne va pas, Abbie?

Il pencha la tête vers elle, et elle eut envie de
passer les doigts dans ses cheveux couleur de
bronze, visiblement décoiffés par le vent. Elle aurait
voulu répondre que tout allait bien, mais elle ne
pouvait oublier la présence malveillante, à la table
voisine. La bonne âme devait avoir compris maintenant *qui* avait entendu ses confidences.

– Je pensais aux envieux et aux hypocrites, toujours prêts à jeter la pierre à leur prochain! lança-
t-elle d'une voix anormalement forte.

Tobias se redressa, les yeux légèrement plissés, et
l'examina avec attention. Abbie se replongea dans le

menu, sans remarquer le coup d'œil qu'il lançait vers le box voisin.

– Je prendrai le plat du jour, déclara-t-elle avec un sourire un peu contraint.

Quand la serveuse vint prendre la commande, Tobias commanda deux plats du jour et il attendit qu'elle soit partie pour demander :

– Comment allez-vous, depuis tout ce temps?

Comme ils s'étaient vus l'avant-veille, Abbie comprit tout de suite son intention.

– Très bien. Au fait, j'ai fini de taper le manuscrit. Il a déjà été remis aux auteurs en mains propres, dit-elle d'un ton cérémonieux, en prenant grand soin de ne pas mentionner le nom des sœurs Coltrain à proximité des grandes oreilles de la dénommée Maude et de sa langue bien pendue.

– Voilà qui tombe bien, déclara-t-il d'un ton satisfait.

– Comment cela?

– Parce que j'aurais besoin d'aide pour taper toute une pile d'annonces paroissiales. Je veux les expédier la semaine prochaine. Ça ne devrait pas vous prendre plus d'une soirée.

– On dirait que je me suis déjà portée volontaire, répliqua-t-elle en riant.

– Je savais que vous accepteriez. Ça vous dérangerait de faire ça ce soir?

– Non, pas le moins du monde.

– Passez donc au presbytère un peu avant sept heures...

Abbie se crispa, en imaginant l'oreille de Maude avidement tendue. Elle devait déjà aiguiser sa langue pour informer l'opinion de cette visite suspecte.

– Il faut que je sois à l'église un peu après sept heures, pour la répétition d'un mariage, ajouta Tobias, et Abbie faillit pousser un soupir de soulagement. Vous aurez le bureau tout à vous. Je ne voudrais pas qu'on m'accuse de vous déranger dans votre travail.

– Je l'espère bien! Faut-il que j'apporte ma machine, ou bien en avez-vous une?

– Une manuelle.

– J'apporterai ma portative électrique.

Vers le milieu du déjeuner, un membre du conseil de l'Eglise s'arrêta à leur table et s'assit un moment pour causer avec Tobias. Abbie entendit le couple de la table voisine se lever pour partir et se sentit aussitôt plus détendue.

Inévitablement, la conversation entre les deux hommes roula sur les affaires de l'Eglise et Abbie fut quelque peu tenue à l'écart. Elle ne se sentit pas plus concernée quand ils se lancèrent dans un commentaire des Ecritures, et sursauta en entendant le nouveau venu prononcer son nom.

– Vous allez nous mettre d'accord, mademoiselle Scott. Comment interprétez-vous ce passage du Livre saint?

Abbie se sentit prise au piège. Comment avouer qu'elle n'avait aucune idée du contenu du fameux passage? Tobias devina heureusement son embarras et vint aussitôt à son secours.

– Je crois qu'Abbie va insister pour rester neutre. Elle ne prétend pas être une exégète de la Bible et il serait injuste de lui demander d'arbitrer.

– Le révérend a raison, s'empressa-t-elle de répondre. Je ne me sens vraiment pas qualifiée pour donner une opinion.

– J'imagine, en effet, que le révérend et vous avez d'autres sujets de conversation, répartit l'interlocuteur de Tobias avec un sourire indulgent.

Il n'avait mis aucune mauvaise intention dans sa remarque, mais Abbie se demanda cependant si elle ne devrait pas se familiariser un peu plus avec la Bible. Cette idée ne la quitta pas pendant la suite du déjeuner et lui trotta dans la tête pendant tout le reste de la journée.

Abbie ralentit en arrivant près du presbytère, tout en soliloquant à mi-voix.

– Je crois que nous pouvons aussi bien nous garer devant, Mabel. Toute la ville doit déjà savoir que je serai ici ce soir.

Le frein à main serré, elle sortit et contourna la voiture pour ouvrir l'autre portière et prendre sa machine sur le siège. Elle leva la tête en entendant claquer la porte treillissée du presbytère. Tobias descendait rapidement les marches du perron. Il était impressionnant et beau, tout en noir, avec seulement cette mince bande de col blanc autour de son cou hâlé.

– Laissez-moi porter ça, dit-il en s'approchant.

– Elle n'est pas lourde, je vous assure...

– Que penseraient les voisins si je laissais une dame les bras chargés alors que j'ai les mains vides? railla-t-il en s'emparant de la machine avec autorité. Ils trouveraient que j'ai de très mauvaises manières.

– Et ce n'est pas vrai? riposta-t-elle gaiement, en allant ouvrir la porte pour le laisser passer.

C'était une vieille maison avec de très hauts plafonds et un grand vestibule où donnaient plusieurs portes. Le tapis fatigué cachait mal les parties élimées de la moquette, et un vernis foncé recouvrait les boiseries. Le papier peint, imprimé de fougères, avait dû jadis être assorti à la moquette mais ses couleurs s'étaient fanées.

– Le bureau est par ici, dit Tobias en poussant du pied une porte sur la droite.

Abbie le suivit et constata immédiatement la différence. L'entrée donnait une impression de vétusté, mais le bureau était accueillant et chaleureux. Il y avait une paire de fauteuils bien rembourrés, en velours côtelé du même ocre doré que les rideaux. La moquette ivoire était de la même nuance claire que les boiseries.

– C'est là que vous passez presque tout votre temps, n'est-ce pas? demanda Abbie.

Tobias posa la machine sur son bureau de noyer et se retourna. Son regard fit le tour de la pièce avant de se poser sur Abbie.

– Ça se voit donc tant?

– Oui.

– J'ai fait retapisser les fauteuils, j'ai choisi les rideaux et la moquette. Toute la maison a besoin d'être refaite mais je ne sais pas comment.

– Elle offre des tas de possibilités, vous savez.

– Ah oui? Lesquelles, par exemple?

– Vieille comme elle est, je ne serais pas étonnée qu'il y ait un beau parquet sous la moquette de l'entrée. Vous pourriez repeindre les murs d'un jaune ensoleillé, ce qui serait très lumineux, dit Abbie en parlant à mesure que les idées lui passaient par la tête.

– Cela vous tenterait de vous charger de la décoration? Je vous donnerais carte blanche, bien entendu.

Abbie se dit que ce serait passionnant mais elle secoua la tête d'un air sceptique.

– Je ne crois pas que l'Eglise accepterait de dépenser tant d'argent pour le presbytère. Il faudra que vous présentiez des plans, des devis.

– Le conseil ne s'y opposerait pas, si je payais cela de ma poche, dit Tobias, écartant l'obstacle avec aisance. Qu'en dites-vous? Voulez-vous le faire?

De nouveau, elle secoua la tête.

– Les gens jasent déjà bien assez comme ça. Pouvez-vous imaginer leur réaction si je me mettais à redécorer le presbytère? s'exclama-t-elle en le regardant comme s'il perdait soudain la raison.

– Les pierres qu'on jette...

– Peuvent faire du mal, c'est vrai, dit-elle en complétant le dicton. Mais les mots risquent de vous blesser aussi, et de vous faire du tort, Tobias.

– Et ceux que vous avez entendus aujourd'hui?

– Je ne sais pas ce que vous voulez dire.

– Mais si, Abbie, insista-t-il en la prenant par les bras pour l'attirer contre lui. Vous avez entendu madame Jones dire quelque chose, avant que j'arrive, à midi. Quelque chose de très méchant... Je me trompe?

– Ce n'était rien. J'ai tenu compte... de la personne de qui venaient ces mots, et je les ai oubliés. Je ne suis pas susceptible, assura-t-elle, les deux mains plaquées sur la poitrine de Tobias.

– Ne mentez pas, Abbie, dit-il en la serrant dans ses bras. Je sais à quel point vous pouvez être sensible.

Il se pencha pour lui embrasser le cou et le creux de la gorge, et de petits frissons de plaisir lui coururent le long de l'échine. Chaque fois qu'il l'enlaçait, elle se sentait soulevée de terre, emportée par un flot de joie qui la brûlait jusqu'à l'âme.

– Je croyais que vous m'aviez demandé de venir pour taper à la machine, risqua-t-elle d'une voix mal assurée qui trahissait le trouble de ses sens.

– J'ai peut-être changé d'idée, murmura-t-il.

– Et la répétition du mariage, à l'église... *révérend*?

– Ça, ce n'est pas gentil! protesta-t-il tendrement.

Il releva la tête mais ses mains continuaient de monter et de descendre lentement le long du dos d'Abbie.

– Les mariés ne peuvent répéter sans le pasteur.

– Mais le pasteur n'est pas attendu avant vingt

minutes. Ce qui laisse à Tobias Talbot tout le temps de...

– Tobias! Soyez sage... Tobias... je vous en prie, plaida-t-elle, en le repoussant doucement.

Elle venait de se rappeler que la porte d'entrée était restée ouverte. N'importe qui pouvait entrer et les surprendre.

Il la laissa prendre un peu ses distances, mais en gardant les deux mains autour de sa taille.

– Pourquoi? Vous craignez que je perde le contrôle de mes penchants lubriques?

– Vous ne savez pas que vous feriez mieux de me montrer ce que je dois taper? demanda Abbie, se demandant qui des deux perdrait le premier le contrôle de lui-même.

– Sans doute, soupira-t-il avec résignation. Venez, alors...

Il la prit par la main et la conduisit vers le bureau où il avait posé la machine.

– Voilà les enveloppes, dit-il d'un ton bref. Vous trouverez toutes les adresses dans ce fichier.

– C'est tout?

Elle s'était attendue à une tâche plus compliquée.

– C'est tout. Croyez-vous pouvoir vous en tirer? demanda-t-il, une lueur de malice dans ses yeux bleus.

– Je crois que j'y arriverai. N'importe quelle écolière s'en tirerait, d'ailleurs, après un trimestre d'apprentissage.

Tobias se pencha vers elle et c'était le désir, maintenant, qui changeait la couleur de ses yeux.

– Vous estimeriez-vous... trop qualifiée pour ce travail?

– Je n'ai pas dit ça.

– Tant mieux, parce que je ne veux le confier à personne d'autre, déclara-t-il en levant vers la pendule un regard furibond. Il est temps que j'aille à l'église. Pas de questions?

– Pas la moindre. C'est parfaitement clair.

– Je ne sais pas combien de temps durera la répétition. Si quelqu'un téléphone, dites qu'on peut me joindre là-bas.

– Entendu.

Il se pencha brusquement, saisit le menton d'Abbie dans ses mains, l'embrassa rapidement sur la bouche et tourna les talons. Quand elle entendit claquer la porte du presbytère, elle n'était pas encore remise de l'émotion bouleversante qu'avait provoquée en elle ce bref contact avec les lèvres de Tobias.

Elle émergea enfin de sa transe éblouie, contourna le bureau et trouva la prise de courant pour brancher sa machine. Mais tous ses gestes étaient automatiques, comme s'ils obéissaient à une autre volonté que la sienne. Leur séparation, à l'instant, n'avait rien eu d'extraordinaire, rien ne la distinguait des autres, et pourtant Abbie n'avait plus aucun doute sur ses sentiments pour Tobias. La révélation était claire, évidente, sans équivoque. Elle ne se demandait plus s'il s'agissait d'un simple engouement ou d'une attirance physique... Elle aimait cet homme. D'un amour absolu et définitif.

Un petit sourire effleura ses lèvres quand elle s'assit sur la chaise de Tobias. Elle n'entendait pas de carillons, il n'y avait pas de tonnerre ni d'éclairs éblouissants, rien qu'une pure et douce chaleur emplissant tout son être, la merveilleuse certitude de ne plus s'appartenir. Plus tard, elle aurait le temps de se demander si son amour était payé de retour...

Elle plaça la première enveloppe sur le chariot de la machine et consulta la liste de noms et d'adresses pour se familiariser avec eux avant de commencer.

126

Puis, une fois au travail, elle passa plus de temps à remplacer les enveloppes qu'à taper.

Un papillon de nuit voleta dans la pièce, attiré par la lampe de bureau. Abbie s'interrompit pour étirer son dos endolori et remarqua avec satisfaction que la pile d'enveloppes terminées était déjà sensiblement plus haute que l'autre. Le travail avançait.

Alors qu'elle tapait le code postal d'une adresse, le téléphone sonna. Elle décrocha et serra le combiné entre son menton et son épaule pendant qu'elle retirait l'enveloppe de la machine.

— Presbytère, dit-elle sur un ton presque professionnel.

Le silence qui s'établit au bout du fil retint aussitôt son attention. Elle prit le combiné dans sa main.

— Allô?

— Qui est à l'appareil? demanda sèchement une voix féminine.

Abbie se nomma, tout de suite sur la défensive.

— Je veux parler au révérend Talbot. Il est... avec vous?

La légère insistance sur le dernier mot rendait l'insinuation évidente.

— Non, il n'est pas là, répondit nettement Abbie. Le révérend a une répétition de mariage, ce soir. Vous pouvez le joindre à l'église.

— J'ai déjà téléphoné là-bas, mademoiselle, et personne n'a répondu, répliqua l'interlocutrice avec arrogance. Vous êtes bien sûre que le révérend Talbot n'est pas là?

Abbie se hérissa.

La question était une accusation flagrante de mensonge. Elle se força à répondre avec le plus grand calme :

— Tout à fait sûre. Peut-être devriez-vous essayer de rappeler l'église, en laissant sonner assez longtemps. Il est possible que le révérend n'ait pas pu répondre la première fois.

– Et il est également possible qu'il n'y soit pas, insista la voix. Savez-vous l'heure qu'il est, mademoiselle Scott?

Abbie avait été tellement absorbée par son travail qu'elle n'avait pas pris garde à l'heure. C'est tout juste si elle avait remarqué que la nuit était tombée. Elle jeta un coup d'œil à la pendule et se mordit la lèvre.

– Il est neuf heures dix-huit...

– Auriez-vous l'obligeance de me dire ce que vous faites au presbytère à cette heure?

– Le révérend avait besoin de certains travaux de dactylographie.

Si elle n'avait pas craint d'attirer des désagréments à Tobias, Abbie aurait volontiers fait savoir à son aimable correspondante que cela n'était aucunement son affaire.

– Comme c'est commode, murmura la voix ironique.

– Si le révérend revient d'ici quelques minutes, pourrais-je lui dire qui l'a appelé?

La question fut délibérément esquivée.

– Je vais suivre votre conseil et rappeler l'église. Sur ce, « on » raccrocha.

D'un geste rageur, Abbie en fit autant. Il faudrait bien que la malveillante inconnue ravale toutes ses vilaines petites pensées, quand Tobias répondrait au téléphone, à l'église... Mais pourquoi, quand on l'avait appelé, n'avait-il pas répondu?

Tourmentée par cette question, Abbie se leva et s'approcha de la fenêtre. L'obscurité extérieure transformait les vitres en miroir, et elle avait du mal à regarder au-dehors. L'église paraissait sombre, sans la moindre lumière.

Abbie fronça les sourcils. Si la répétition du mariage était terminée, où était Tobias? Perplexe, elle retourna s'asseoir au bureau. Elle dut se forcer pour se concentrer sur son travail et terminer les adresses.

Trois quarts d'heure plus tard, elle ôtait la dernière enveloppe de la machine. Une douleur sourde lui martelait les tempes. Elle les massa du bout des doigts, mais la douleur persista. Avec un soupir elle rangea les enveloppes en petites piles ordonnées. La lampe de bureau éclairait ses mains mais des ombres se tapissaient dans les recoins de la pièce.

— C'est fini?

La voix dans les ténèbres la fit sursauter. Elle n'avait pas entendu Tobias rentrer. Sa haute silhouette vêtue de noir se fondait dans l'obscurité de l'entrée. Il était appuyé d'une épaule contre le chambranle de la porte, les bras croisés. Abbie eut l'impression qu'il l'observait depuis un moment.

— Je ne vous ai pas entendu arriver, dit-elle une fois revenue de sa surprise.

— Excusez-moi.

Il s'éloigna de la porte, décroisa les bras et s'avança dans le cercle de lumière. Il regardait Abbie d'une manière infiniment troublante. Elle sentit son cœur battre à petits coups tumultueux.

— Je ne voulais pas vous faire peur...

— Ce n'est rien. Vous venez de l'église? Il m'a semblé qu'il n'y avait pas de lumière quand j'ai regardé tout à l'heure.

Il s'assit de biais sur un coin du bureau, une lueur amusée dans les yeux.

— Vous me surveillez?

Abbie n'avait certes pas cherché à donner cette impression et elle se hâta d'expliquer :

— Pas du tout. Une femme a téléphoné. Elle vous a demandé et m'a dit qu'elle n'avait pas reçu de réponse, quand elle avait appelé l'église. Je lui ai conseillé de rappeler et de laisser sonner. Vous avez eu la communication?

– Non, répondit-il distraitement. Quelle heure était-il?

– Environ neuf heures vingt.

– J'étais déjà parti, répondit-il. Les parents du fiancé avaient organisé un petit buffet chez eux, pour les deux familles, et ils ont tenu à m'inviter aussi. J'y ai fait une brève apparition et puis je suis parti. Est-ce que cette dame a laissé son nom, ou un message?

– Non. Comme elle n'a pas rappelé, j'ai pensé qu'elle avait pu vous joindre à l'église.

Et comme Tobias n'y était pas, Abbie imaginait sans peine quelles conclusions cette femme en avait tirées. Elle garda pour elle les réflexions déplaisantes qu'elle avait dû essuyer.

– Ce qu'elle avait à me dire ne devait pas être très important, sinon elle aurait rappelé, dit Tobias avec nonchalance, pour bien signifier que le sujet était épuisé. Puisque vous avez fini, que diriez-vous d'un peu de café?

Sans le coup de téléphone de l'inconnue, Abbie aurait probablement accepté. Mais elle avait conscience d'être seule avec lui... et chez lui.

– Il est affreusement tard. Il vaut mieux que je rentre, répondit-elle en secouant ses boucles dorées.

Elle s'accroupit pour débrancher sa machine, en pensant qu'il était déjà plus de dix heures et que quelqu'un allait sûrement remarquer sa voiture devant la porte.

Tobias se leva et se glissa derrière elle.

– Dans ce cas, il va falloir que je trouve une autre raison pour vous persuader de rester.

– Tobias! protesta-t-elle, gênée, quand il se courba pour la prendre par la taille et la serrer contre lui.

130

Elle sentit contre son dos la dureté du torse musclé, la fermeté du ventre plat, et, sans grande conviction, tenta de repousser les mains qui l'encerclaient. Ces mains impatientes étaient dangereusement proches de ses seins... Mais elle révéla sa faiblesse en penchant la tête de côté pour offrir à la bouche de Tobias la courbe gracieuse de son cou.

Une singulière chaleur courut dans ses veines et elle crut fondre de plaisir quand il mordilla sa peau délicate, au creux de l'épaule. Ses yeux se fermèrent et elle s'abandonna au trouble immense qui montait en elle, comme une onde de joie. Il resserra son étreinte et sa main descendit lentement, faisant naître une autre sorte d'émoi, si violent que c'était presque une souffrance.

La sonnerie du téléphone leur fut odieuse, mais elle venait à point... en tout cas pour Abbie, qu'elle éveilla d'un périlleux égarement. Tobias tressaillit, et elle sentit son bras affermir sa prise autour d'elle.

– Vous feriez mieux de répondre, murmura-t-elle.

– Je sais, marmonna-t-il, la libérant à contrecœur pour aller décrocher... Révérend Talbot à l'appareil.

Abbie profita du répit pour soulever sa machine à écrire, sachant trop bien que si elle ne partait pas tout de suite, elle risquait fort de s'attarder bien davantage. Tobias devina son intention et lui jeta un coup d'œil irrité.

– Un instant, dit-il à son correspondant en couvrant le récepteur de la main. Vous n'êtes pas obligée de partir, Abbie.

– Si, affirma-t-elle en reculant vivement vers la porte. Il le faut. Il est tard et j'ai du travail demain.

– Abbie...

– C'est la dame qui a appelé tout à l'heure? demanda-t-elle, déjà sur le seuil.

– Oui, je crois, mais...

C'était, apparemment, le cadet de ses soucis.

– Vous ne devriez pas la faire attendre, conseilla Abbie, devinant que cela ne ferait qu'attiser l'imagination de la commère. Bonsoir, Tobias.

Sans lui laisser le temps de répondre, elle sortit du bureau et gagna rapidement l'entrée. Les mains encombrées par la machine, elle poussa la porte treillissée d'un coup de coude, et fit halte un court instant sur le perron. A travers la moustiquaire, elle entendit Tobias reprendre sa conversation au téléphone.

9

Une pluie qui semblait ne devoir jamais finir cinglait les carreaux. De sinistres nuages gris plongeaient le living-room dans une pénombre déprimante. Abbie s'arracha à sa contemplation morose, s'éloigna de la fenêtre, et promena autour d'elle un regard accablé. Que faire, par une telle journée?

Il n'y avait rien d'intéressant à la télévision et la radio n'offrait qu'une distraction passive. Lire? Elle s'approcha nonchalamment de la bibliothèque et parcourut distraitement les titres. L'un d'eux parut lui sauter aux yeux, ses lettres d'or brillant sur le cuir bordeaux de la reliure... La sainte Bible. C'était la version traditionnelle corrigée de la Bible du roi Jacques, un cadeau de l'Eglise, quand elle en était devenue membre.

Après une seconde d'hésitation, Abbie prit le volume et alla s'installer sur le canapé, les jambes repliées sous elle. Elle commença à le feuilleter, avec le vague espoir de tomber sur le passage dont Tobias avait parlé l'autre jour à déjeuner.

Puisqu'il était pasteur, il y avait de fortes chances pour qu'elle soit mêlée à d'autres conversations de ce genre, et son ignorance de la Bible se ferait remarquer. Elle devait y remédier.

Un bruit insolite couvrit un instant le crépitement régulier de la pluie sur le toit. Abbie releva la tête pour écouter, mais n'entendit plus rien. Elle feuilleta encore quelques pages, et, par loyauté pour son sexe, crut devoir s'arrêter au livre de Ruth, dans l'Ancien Testament. Elle allait terminer la première colonne quand elle perçut des pas dans l'escalier.

Tobias. Elle ne se demanda pas si c'était lui, elle en eut instantanément la certitude bien qu'il n'eût pas pris de dispositions spéciales pour la voir, ce samedi. Elle bondit sur ses pieds et, laissant la bible ouverte sur le canapé, elle courut ouvrir.

On frappa à l'instant où elle atteignait la porte. Tobias, tout dégoulinant de pluie, essuyait sa figure trempée et secouait la tête.

– Il pleut, annonça-t-il.

– Première nouvelle! répliqua-t-elle en riant. Entrez donc. Je vais vous chercher une serviette.

Elle alla en prendre une dans l'armoire à linge du coin-cuisine et la lui tendit.

– Vous n'avez pas de parapluie, ou bien vous avez oublié de remonter la capote de la voiture?

– Un parapluie! Je me disais bien que j'avais oublié quelque chose, railla-t-il en ôtant sa veste de sport.

L'automne pluvieux avait rafraîchi l'atmosphère. Abbie vit qu'il portait un pull-over ivoire à grosses côtes qui soulignait la largeur de ses épaules et l'étroitesse de sa taille et de ses hanches. La pluie avait foncé ses cheveux qui brillaient d'un éclat de bronze patiné à la lumière artificielle.

– Avez-vous des projets pour cet après-midi? demanda-t-il en s'emparant de la serviette.

– Aucun. Je commençais d'ailleurs à m'ennuyer, toute seule. Pourquoi? Vous comptiez aller quelque part?

– En effet, répliqua-t-il. Ici.

Comme Abbie le regardait avec incertitude, il lui passa la serviette autour du cou et tira sur les deux bouts pour la rapprocher de lui. Son regard bleu était un appel... un appel irrésistible.

– Pour faire quoi? demanda-t-elle étourdiment.

Il courba la tête et l'embrassa sur les lèvres. Les jambes molles, elle dut lui agripper les bras pour ne pas chanceler.

– Que faisiez-vous quand je suis arrivé? murmura-t-il entre deux baisers. De toute façon... voilà ce que nous pouvons... faire, dit-il en reprenant ses lèvres.

Quand il se redressa enfin, Abbie dut faire un effort pour se rappeler où elle se trouvait.

– Vous n'allez pas m'inviter à m'asseoir? dit-il d'un ton de doux reproche.

– Asseyez-vous, souffla-t-elle.

Il lâcha une extrémité de la serviette, la fit glisser du cou d'Abbie et lui prit la main pour l'entraîner vers le canapé. La bible ouverte occupait le coussin du milieu. Tobias l'écarta pour s'asseoir et, ce faisant, remarqua le titre. Il regarda la page ouverte, puis Abbie, et demanda d'un ton légèrement surpris :

– Vous lisiez le Livre de Ruth?

– Je venais de commencer quand vous êtes arrivé.

– Pour une raison particulière? Ou seulement pour m'impressionner?

Il s'assit sur le coussin du milieu et Abbie replia un genou sous elle pour se percher dans le coin.

– Comme je ne savais pas que vous veniez, je ne puis être accusée de chercher à vous impressionner, déclara-t-elle, sachant que la question n'était qu'à demi sérieuse. J'avoue avoir été un peu motivée, en choisissant ce Livre-là, par le fait qu'il parle d'une femme. Il m'a semblé que ce ne serait que justice, par égard pour mon sexe.

– Un choix très logique, approuva Tobias en s'adossant confortablement. Je vous fais des excuses, j'ai eu tort l'autre jour de dire que vous ne connaissiez pas assez bien les Ecritures pour donner votre opinion.

– Vous n'avez pas à vous excuser car vous aviez raison. C'est pourquoi j'ai voulu relire la Bible. J'aimerais en apprendre un peu plus que les histoires qu'on vous raconte à l'école du dimanche.

– Je vois, murmura-t-il en contemplant distraitement le livre ouvert.

– C'est vraiment dommage qu'il n'y ait personne ici pour me faire la leçon, dit-elle avec un soupir faussement navré.

– Dois-je comprendre que vous entendez passer l'après-midi avec moi... à lire la Bible? riposta Tobias en jetant un regard éloquent sur les lèvres d'Abbie alanguies par ses baisers.

– C'est vous qui avez suggéré que nous pourrions rester ici et faire ce que je faisais avant votre arrivée, lui rappela-t-elle avec un sourire.

– C'est vrai. Et puisqu'un pasteur ne ment jamais... je suppose qu'il va falloir que je m'exécute. Avez-vous des préférences?

– Non. A vous de choisir.

– Voyons un peu... Qu'aimeriez-vous que je vous lise? Quelque chose pour Abbie. Abra, le nom de la favorite de Salomon. Le Cantique des cantiques.

Il rouvrit le livre à cet endroit de l'Ancien Testament et haussa les sourcils.

– Cela vous paraît-il approprié?

– Très, fit-elle en s'adossant à l'accoudoir pour faire face à Tobias.

Il feuilleta quelques pages, comme s'il cherchait un passage particulier, et s'arrêta soudain. Le regard qu'il leva sur Abbie avait quelque chose de vaguement énigmatique.

– Le Cantique des cantiques, répéta-t-il avant de se mettre à lire, d'une voix basse et légèrement voilée.

« Que tu es belle, que tu es désirable,
O mon amour, source de délices! »

Les mots inattendus bouleversèrent Abbie comme une caresse.

Son pouls s'accéléra, tandis qu'elle attachait un regard ébloui sur les lèvres de Tobias où se formaient ces mots magiques.

« Ta taille est souple comme un palmier,
Et tes seins sont comme des grappes.
J'ai dit : Je veux monter à la cime de ce
[palmier
Et en saisir les rameaux! »

Dans la voix assourdie de Tobias vibrait une merveilleuse promesse. Abbie retint son souffle. Un émoi nouveau s'éveillait en elle, suscité par le charme puissant de ce chant d'amour, sa hardiesse, sa beauté...

« Que tes seins soient pour moi comme les
[grappes de la vigne,
Et ton haleine comme la fleur parfumée des
[pommiers!
Que ta bouche me verse un vin généreux... »

Tobias s'interrompit et leva vers Abbie un regard qu'elle ne put soutenir. Elle tremblait d'émotion et de désir, et devinait qu'à cet instant, il avait lu ce qui se passait en elle.

Tournant le livre entre ses mains, il le lui présenta.

– A votre tour, Abbie, dit-il en posant un doigt sur la page. Commencez là.

Elle prit le livre d'une main tremblante et se mit à lire, d'une voix un peu enrouée :

« Je suis à mon bien-aimé et c'est moi seule
[que son cœur désire.
Viens avec moi, mon bien-aimé!
Sortons dans les champs,
Passons la nuit dans les hameaux.
Nous irons dès le matin dans les vergers,

Pour voir si la vigne montre ses bour-
[geons,
Si les ceps s'épanouissent
Et si les grenadiers se couvrent de fleurs.
C'est là... »

Abbie se tut un instant, puis reprit dans un souffle, en levant les yeux vers Tobias :

« C'est là que je te prodiguerai mes caresses... »

– Le ferez-vous? chuchota-t-il en se penchant vers elle.

– Oui, murmura-t-elle le cœur gonflé du désir presque douloureux de tout lui donner.

Elle ne s'aperçut pas qu'il lui prenait le livre des mains et le posait de côté.

Déjà, elle ne percevait plus que les battements tumultueux de son cœur, et la prière exigeante du regard de Tobias, qui semblait pénétrer au plus profond d'elle-même.

– Viens à moi, mon amour, source de délices...

Il la saisit par les hanches et la fit doucement glisser vers lui.

Puis, toujours avec la même douceur tendre, il la coucha sur le dos, s'allongea tout contre elle, et, se soulevant sur un coude, se pencha lentement vers sa bouche. Sans résistance et sans réserve, elle accepta la pression de ce corps masculin contre le sien.

Ce fut un instant suspendu dans le temps, sans commencement ni fin. Un baiser de magie pure, où leurs sens éblouis communièrent dans l'embrasement du plaisir, et dans l'attente émerveillée d'un plaisir plus grand encore...

Les jambes nouées à celles de Tobias, Abbie crispait les doigts dans la laine rugueuse de son pull-over, les enfonçant fébrilement dans les muscles de ses épaules.

– Vos baisers sont comme du vin, Abra, murmura-t-il contre sa bouche. Enivrants et doux comme un vin généreux...

Il y but à nouveau, faisant monter de la gorge d'Abbie de sourds gémissements de plaisir. Elle se blottit encore plus étroitement contre lui, savourant l'idée que des deux, ce n'était certainement pas lui que l'amour enivrait le plus, heureuse jusqu'au ravissement de s'abandonner à cette ivresse.

Un à un, les boutons de son corsage cédèrent sous les doigts impatients de Tobias, et, au frisson soudain qui passa sur sa peau, elle sut qu'il avait dénudé sa poitrine. Puis la main de Tobias se posa en coupe sur l'un de ses seins, et elle sentit une délicieuse chaleur se répandre dans tout son corps.

Il releva la tête pour admirer la beauté féminine qu'il venait de dévoiler, et ce ne fut pas la honte qui la fit tressaillir, ni le besoin de se soustraire à son regard, mais un violent désir de lui plaire, en lui donnant tout ce qu'il désirait.

– Que tu es belle, Abbie, chuchota-t-il.

Et ses lèvres, en se refermant sur la pointe d'un sein, éveillèrent en elle un plaisir aussi intense qu'une douleur. Puis elles se firent apaisantes, pour parcourir, en les effleurant tendrement une à une, les courbes délicates de cette chair offerte à ses caresses.

Elle sentit frémir dans tout son être, dans chaque fibre de son corps, le besoin impérieux de se donner tout entière à cet amour, pour le recevoir à son tour, dans sa plénitude absolue.

– Aimez-moi, Tobias, chuchota-t-elle en nouant ses doigts dans les cheveux mordorés.

Ce qu'elle demandait ainsi, ce qu'elle le suppliait de lui donner, c'était, à travers cet accord physique, la merveilleuse certitude qu'ils ne seraient plus qu'un, dans l'épanouissement de leur amour.

Tobias interrompit un instant ses caresses pour

presser sa bouche dans le cou d'Abbie, et elle l'entendit gémir.

– N'exigez pas cela de moi, Abbie.

Les mots l'atteignirent comme un coup, l'accablant de honte et de remords. Il l'avait repoussée!

– Non, Abbie, souffla-t-il, pas nous!

Il rapprocha les pans du corsage et les croisa résolument. Puis il serra Abbie dans ses bras, écrasant ses seins contre lui, la figure enfouie dans ses cheveux. C'était presque une torture pour elle, maintenant, de le sentir si proche, et pourtant séparé d'elle par... par quoi? Elle ne comprenait plus. Tout devenait confus. Incapable de penser, tremblante de désir inassouvi, elle se cramponna à lui d'un geste convulsif.

– Abbie, dit-il dans un long soupir. Je vous désire. Je ne vais pas prétendre le contraire.

– Moi non plus! fit-elle impulsivement.

Il eut un petit rire las.

– Que vais-je faire de vous, Abbie?

Il avait parlé si bas qu'elle eut du mal à saisir la question. Elle l'entendit, pourtant, et n'en fut que plus déconcertée.

Le téléphone, posé sur le guéridon à côté du canapé, sonna aigrement, presque à l'oreille d'Abbie. Elle se raidit, comme si la personne qui appelait pouvait les voir ainsi enlacés. Elle hésita un moment, sans savoir si elle devait répondre. Prenant la décision à sa place, Tobias relâcha son étreinte pour la laisser se lever.

– Vous feriez mieux de répondre, dit-il à regret. Cela pourrait être important.

Elle s'écarta de lui, se redressa gauchement, lui tournant à demi le dos. A la cinquième sonnerie, elle décrocha tout en essayant, de l'autre main, de reboutonner son corsage.

– Allô? dit-elle d'une voix un peu essoufflée.

– Mademoiselle Scott? demanda une voix féminine.

Avec un frisson d'appréhension, Abbie reconnut son interlocutrice du presbytère.

– Oui, dit-elle avec méfiance. De la part de qui?

– Je suis madame Cones, et je cherche le révérend Talbot. Est-il chez vous? Il est urgent que je lui parle.

Abbie pressa le combiné sur sa poitrine et tourna la tête. Tobias était assis et se passait une main dans les cheveux.

– Une certaine Mme Cones, murmura-t-elle. Elle veut vous parler.

Il releva brusquement la tête, comme s'il pressentait des ennuis, et tendit la main vers l'appareil.

– Je vais lui parler.

– Ne quittez pas, dit Abbie au téléphone.

– Il est là? Je m'en doutais! fit la voix méprisante de Mme Cones.

N'imaginant que trop bien les pensées de la commère, Abbie tendit le combiné à Tobias en évitant son regard, et se leva pour remettre de l'ordre dans ses vêtements.

– Ici le révérend Talbot. Bonjour, madame Cones.

Abbie s'éloigna discrètement vers la fenêtre. La pluie tombait toujours. Elle posa son front brûlant contre la vitre, en s'efforçant de faire le vide dans son esprit.

Quand la main de Tobias se posa sur son épaule, elle revint à la réalité. Elle répondit à son geste par un petit signe de tête, mais ne se détourna pas de la fenêtre.

– Je suis désolé pour ce qui s'est passé, Abbie, dit-il.

– Ce n'est pas grave, répondit-elle d'une voix morne, qui laissait deviner à quel point ses mots l'avaient blessée.

– Un instant!

Il l'empoigna par les épaules et la fit pivoter vers lui.

– Je suis désolé pour ce coup de téléphone, pas pour autre chose!

L'expression d'Abbie ne changea guère mais, dans ses yeux noisette, les petits points verts scintillèrent comme des paillettes. Ce que Tobias observa avec une visible satisfaction.

– Pas pour autre chose, vous m'entendez, Abbie?

– Moi aussi, je regrette ce coup de téléphone, commença-t-elle prudemment, ne sachant pas très bien ce qu'elle allait dire ensuite.

Etait-il nécessaire de formuler ses sentiments? Elle les avait déjà exprimés assez clairement, en paroles et en actes.

Les mains de Tobias desserrèrent légèrement leur prise, sans la lâcher cependant.

– Voulez-vous savoir pourquoi j'ai choisi ce passage de la Bible?

– Pourquoi? demanda-t-elle avec le fol espoir qu'il répondrait ce qu'elle brûlait d'entendre.

– Parce que je voulais vous montrer que c'est un livre d'amour et de passion, de souffrance et de tendresse, mais, surtout, un livre d'amour... Ne me regardez pas comme ça, Abbie!

Un muscle tressautait sur sa mâchoire.

– Comme quoi? s'étonna Abbie qui ne pensait pas le regarder autrement que d'habitude.

– Comme...

La bouche de Tobias s'abattit sur ses lèvres avec une avidité si farouchement possessive qu'il lui fit mal. Le souffle lui manqua brusquement, et elle crut que son cœur allait s'arrêter. Quand il releva la tête, ses yeux bleus étincelaient d'une fureur sombre.

– Je suis fait de chair et de sang, comme vous,

Abbie, dit-il d'un ton crispé, à mi-chemin entre le gémissement et la rage.

– Je crois que je l'ai toujours su, reconnut-elle en s'adossant à la fenêtre pour lui faire face. Mais je laissais toujours ce... ce col... se mettre en travers!

– Vous croyez que je ne le savais pas? railla-t-il (mais si tendrement...), sa main effleurant les cheveux cuivrés en une caresse hâtive. Nous avons à parler de tant de choses, Abbie... mais je n'ai pas le temps maintenant. Mme Cones m'appelait parce que sa mère est à l'hôpital, très malade, et son père est effondré. J'ai promis d'aller passer un moment avec lui, c'est pourquoi je dois vous quitter.

– Je comprends, assura Abbie, faisant taire son regret de le voir s'en aller.

– M'attendrez-vous après le service, demain? Nous déjeunerons ensemble, ici ou au presbytère, peu importe pourvu que nous puissions nous parler tranquillement.

– Je ne crois pas que le presbytère soit une bonne idée, répondit-elle.

A vrai dire, aucun endroit ne lui paraissait très indiqué, mais elle n'en proposa pas moins:

– Pourquoi pas ici? Je mettrai un rôti au four, nous n'aurons qu'à nous mettre à table en arrivant.

– Parfait.

Il jeta un coup d'œil vers la fenêtre, puis vers Abbie, comme pour la prendre à témoin de ce que la pluie tombait toujours. Sa répugnance à la quitter était si visible qu'Abbie dut se mordre la lèvre pour ne pas sourire.

– Il faut que je m'en aille, déclara-t-il enfin d'un ton résolu.

Il se pencha pour effleurer ses lèvres, la regarda une dernière fois, droit dans les yeux, puis se détourna et se dirigea rapidement vers la porte, comme s'il craignait de se raviser.

10

Abbie suivit la file des fidèles qui sortaient lentement de l'église, s'arrêtant à la porte pour serrer la
main de Tobias. A son tour, elle lui tendit la sienne,
et il la prit d'un geste possessif. Ses yeux avaient un
éclat nouveau, vibrant, comme un signe de recon-
naissance...

– Bonjour, mademoiselle Scott, dit-il en s'attar-
dant sur chaque mot, comme pour souligner l'ab-
surdité de ces salutations protocolaires.

– Bonjour... révérend, répondit-elle sur le même
ton.

Pas une seule des personnes présentes, Abbie s'en
rendait parfaitement compte, n'aurait voulu manquer ne fût-ce qu'un mot de leur conversation; les
uns, par malveillance, les autres, par simple curiosité. Elle se demanda si Tobias s'en doutait.

– Vos parents ne vous ont pas accompagnée?
demanda-t-il.

– Non. Ils sont allés rendre visite à des amis dans
le Missouri.

– J'espère que vous avez quand même prévu un
déjeuner agréable?

– Certainement, révérend.

Elle devinait qu'il aurait volontiers prolongé leur
petit jeu, mais il dut se résigner à lui lâcher la main
pour saluer les personnes suivantes. Abbie sortit, se

dégagea du flot des fidèles et se mit à faire les cent pas sur le trottoir, en attendant Tobias.

Un remous se fit dans la foule qui descendait lentement les marches. Les demoiselles Coltrain – Isabel en rose, Esther en orangé vif – venaient d'apercevoir Abbie et se précipitaient vers elle, bousculant tout sur leur passage. Leurs robes juraient si affreusement entre elles qu'Abbie en sourit d'attendrissement.

– Nous vous avons vue à l'église et nous espérions avoir l'occasion de vous parler, dit Isabel.

– Oui, dit Esther en se penchant vers Abbie pour lui chuchoter d'un air entendu : nous avons expédié vous savez quoi à un éditeur de New York.

– Le révérend nous a donné le nom de ce monsieur. Il lui avait déjà parlé de nous et ce monsieur a voulu voir ce que nous avons fait. N'est-ce pas merveilleux ? s'exclama Isabel en pouffant comme une collégienne.

– C'est magnifique ! convint Abbie, sincèrement heureuse pour elles.

Elle ne prétendait pas être bon juge mais elle avait beaucoup aimé leur roman et ne pouvait s'empêcher d'espérer qu'il serait publié.

– Le révérend dit qu'il faudra sans doute attendre deux mois avant de savoir ce que ce monsieur pense de... la chose, expliqua Esther. Mais...

Elle hésita et regarda sa sœur.

– Esther et moi, nous avons une autre idée, confia Isabel. Seulement nous ne savons pas si nous devons commencer à y travailler avant de savoir ce qu'a donné la première. Nous risquons de perdre notre temps.

– Et voilà pourquoi nous voulions vous demander conseil, acheva Esther.

– A votre place, je m'y mettrais tout de suite ! répondit spontanément Abbie.

Les yeux des deux sœurs s'illuminèrent.

– Tu entends ça, Esther? Je savais qu'elle dirait ça, je le savais! Je te l'ai dit!

– Si nous ne vous avions pas, vous et le révérend, pour en parler, je crois que nous éclaterions, Isabel et moi.

– Vous voudrez bien nous taper aussi celui-là? demanda anxieusement Isabel.

– Naturellement, avec joie.

– Vous êtes vraiment une jeune fille adorable, dit affectueusement Esther. Et il ne faut pas faire attention à tout ce qu'on raconte. Les gens qui font courir ces bruits ne sont que de méchantes commères qui n'ont rien de mieux à faire.

Elle ne parut pas remarquer la brusque pâleur d'Abbie et se tourna vers sa sœur.

– Viens, nous devons rentrer, Isabel.

– Oui. Maintenant que vous nous avez conseillé de commencer le suivant, nous avons beaucoup de recherches à faire avant de nous y mettre. Excusez-nous de vous quitter si vite, mais vous nous comprenez sûrement.

– Bien sûr, murmura Abbie d'une voix sans timbre.

Elle venait de mesurer jusqu'où les commérages avaient pu aller. Elle savait déjà, hélas, que ses relations avec Tobias faisaient jaser. Ce qui était assez normal, quand un pasteur était en cause. Il lui était revenu aux oreilles plus d'une réflexion injuste, ou méchante. Jusque-là, elle avait surtout redouté que tous ces ragots fassent plus de tort à Tobias qu'à elle. Mais la réflexion d'Esther semblait indiquer qu'elle était calomniée, et, contre cela, elle était sans défense. Le fait d'être en paix avec sa conscience ne lui était d'aucun secours. La malveillance qu'elle devinait l'ulcérait, et elle ne pouvait rien contre elle.

Tous les fidèles étaient sortis, mais le portail de l'église restait ouvert, et toujours aucune trace de

Tobias. Il avait dû aller se changer et ôter son habit sacerdotal. Le parking se vida. Elle était un peu trop visible, seule au pied des marches de l'église... Il serait sans doute plus discret d'aller attendre à l'intérieur.

En entrant, elle entendit des voix, du côté de la chaire, et reconnut parmi elles celle de Tobias. Un besoin confus de le voir l'attira vers l'autel. Elle l'aperçut presque aussitôt, en compagnie de trois autres hommes. Elle remarqua qu'il avait toujours son aube. Abbie n'avait aucune intention de s'imposer, ni même d'écouter. Les trois hommes faisaient partie du conseil de l'Eglise et Tobias devait discuter avec eux d'affaires concernant la paroisse.

Mais avant qu'elle pût battre en retraite pour aller l'attendre près de la grande porte, elle entendit prononcer son nom. Elle s'arrêta, clouée sur place par un inexplicable sentiment de crainte. Et malgré elle, elle prêta l'oreille.

– Nous ne voudrions pas paraître vous juger, révérend, disait un homme chauve, d'une voix sévère qui démentait ses paroles. Mais nous avons une obligation, envers nous-mêmes et envers l'Eglise, et nous devons exprimer nos sentiments dans cette affaire.

– Je suis sûr que vos intentions sont irréprochables, assura sèchement Tobias.

Même à cette distance, Abbie distinguait la froideur de son regard et son attitude contrainte.

– Comprenez-nous, nous n'avons rien de personnel contre Mlle Scott, intervint aussitôt l'un des deux autres interlocuteurs de Tobias.

– Nous reconnaissons qu'elle est de bonne famille. Ses parents sont des membres respectés de cette ville et de l'Eglise, dit le troisième. Mlle Scott elle-même est fort probablement une jeune fille très bien.

– Cependant? coupa Tobias, devançant l'objection qu'annonçaient tant de précautions oratoires.

– Cependant... Eh bien, elle ne nous fait pas l'effet d'une... d'une compagne convenable... pour un ministre de notre culte.

– Depuis que cette jeune fille est revenue dans notre ville, elle n'a pas participé activement aux fonctions de l'Eglise. Elle n'assistait même pas régulièrement aux offices, avant votre venue.

– Il y a des choses que vous ne pouvez pas savoir sur elle. C'est pourquoi... nous avons jugé souhaitable de les porter à votre attention.

– Je suis sûr que vous comprenez maintenant pourquoi nous vous conseillons de rompre vos relations avec cette personne. Ce serait dans l'intérêt de tout le monde, conclut le chauve avec un hochement de tête vertueux.

Des larmes montèrent aux yeux d'Abbie quand elle entendit ce verdict. Elle n'aurait jamais cru pareille chose possible. C'était une situation de cauchemar. Son regard s'accrochait à Tobias, tandis que le silence s'étirait, s'étirait pendant d'interminables secondes.

– Je comprends parfaitement le souci qui vous a poussé à me parler, répondit-il enfin de sa voix la plus tranquille. Et je suis tout à fait d'accord avec vous pour reconnaître que Mlle Scott manque de qualités que l'on estime généralement essentielles chez une femme de pasteur...

Une sourde exclamation de douleur s'échappa de la gorge d'Abbie, à l'énoncé de cette ultime condamnation. L'homme qu'elle aimait l'avait rejetée. Elle plaqua une main sur ses lèvres comme pour étouffer sa plainte, mais il était trop tard. Tobias l'avait vue.

– Abbie! cria-t-il.

Sa voix laissait percer une irritation si vive qu'elle courut vers la porte comme s'il l'avait chassée. Des larmes lui brouillèrent la vue quand elle dévala les marches, secouée de sanglots. Seuls ses talons hauts l'empêchèrent de courir comme une folle sur le trottoir.

Toutes ses illusions s'écroulaient. Elle comprenait soudain pourquoi Tobias avait voulu lui parler en particulier, ce dimanche : pour lui apprendre avec ménagements qu'elle ne pourrait être une femme pour lui. Une fois de plus, l'amour l'avait entraînée dans une impasse.

Elle comprenait aussi – avec quelle amertume ! – ce qu'il avait voulu lui dire, la veille, en avouant qu'il était fait de chair et de sang. Le désir de la chair... voilà tout ce qu'il éprouvait pour elle. Dans leurs étreintes passionnées, le cœur, celui de Tobias en tout cas, n'avait eu aucune part.

Elle avait reçu une réponse à la déconcertante question qu'il avait murmurée en la tenant dans ses bras : « Que vais-je faire de vous, Abbie ? » Des larmes brûlantes ruisselaient sur ses joues quand elle arriva enfin près de sa voiture. Tobias savait à quel point elle était amoureuse de lui mais il ne pouvait pas être question de mariage ! Oui, elle était amoureuse de lui. A la folie même, car il fallait qu'elle soit folle, folle à lier pour n'avoir rien compris !

– Abbie !

Elle sursauta et se retourna malgré elle. Traversant la pelouse pour aller plus vite, Tobias venait vers elle en courant. La panique s'empara d'elle. Elle ne pouvait pas l'affronter maintenant... Elle ne pourrait plus jamais.

Essuyant ses yeux d'un revers de main, elle ouvrit sa portière et se glissa précipitamment au volant. Ses mains fouillèrent fébrilement son sac à la recherche de ses clefs, puis tâtonnèrent maladroitement pour mettre le contact. Elle regarda avec affolement par le pare-brise. Tobias approchait, les traits crispés, l'air furibond.

– Je t'en prie, Mabel, ne me laisse pas tomber, supplia-t-elle tout bas en tournant enfin la clef.

Le moteur grommela une protestation mais démarra en hoquetant. Abbie donna de petits coups d'accélérateur pour faire monter l'essence et le bruit devint régulier. Elle fit grincer ses vitesses en passant en marche arrière mais il était déjà trop tard.

Tobias ouvrait la portière de droite et allongeait un bras. Abbie se serra de son côté pour lui échapper mais il n'avait pas l'intention de la toucher. Il visait la clef. Quand elle le comprit, il avait déjà coupé le contact et la clef n'était plus au tableau.

Aux abois, Abbie se tourna face au pare-brise et crispa ses deux mains sur le volant, refusant de le regarder. Elle n'aurait pas supporté de lire la pitié dans ses yeux.

– Voulez-vous me rendre mes clefs, s'il vous plaît? demanda-t-elle durement.

Elle faillit grincer des dents, tant elle les serrait pour maîtriser le tremblement de sa voix.

Elle entendit un froissement d'étoffe. Tobias était monté à côté d'elle. Il claqua la portière. Elle frémit, à bout de nerfs, quand il se pencha vers elle pour remettre la clef au tableau de bord.

– Voilà vos clefs!

Le menton d'Abbie se mit à trembler et elle serra les dents de plus belle.

– Voulez-vous avoir l'obligeance de descendre de ma voiture, lança-t-elle sans le regarder.

– Vous m'avez invité à déjeuner, vous rappelez-vous?

– L'invitation est retirée, rétorqua Abbie en battant rapidement des paupières pour retenir ses larmes.

– Dommage. Alors, il va falloir que je reste assis et que je vous regarde manger. Mais nous éclaircirons ce malentendu, je vous le promets.

– Il n'y a rien à éclaircir, déclara-t-elle en redressant le menton. La situation m'a été exposée tout à fait clairement. Nous n'avons rien d'autre à nous dire. Je comprends parfaitement.

– Ah oui?

– Oui, parfaitement, répéta Abbie. Vous n'avez rien à expliquer.

– Que cela vous plaise ou non, je le ferai. Manifestement, vous avez surpris ma conversation avec ces représentants du conseil de l'Eglise.

– Manifestement, répéta-t-elle en lui jetant un regard qu'elle aurait voulu glacial mais qui faillit causer sa perte.

Elle rencontra celui de Tobias, qui la fixait avec une sombre intensité, si terriblement attirante qu'elle dut faire un effort violent pour s'en détourner.

– La vie d'une femme de pasteur présente beaucoup d'inconvénients. Vos week-ends ne seront jamais libres. Qu'il pleuve, qu'il vente ou qu'il neige, vous serez à l'église chaque dimanche matin. Le soir, en semaine, votre mari sera souvent pris par des réunions. Tout ce que vous ferez sera examiné à la loupe par les bons fidèles, depuis vos toilettes jusqu'à votre manière de vous coiffer. On attendra de vous que vous vous occupiez de toutes les œuvres de charité, que vous participiez à toutes les activités de la paroisse, que vous assistiez à toutes les réunions à moins que vos enfants ne soient malades. Vous...

– Assez! cria Abbie, incapable d'en entendre davantage. Je sais très bien que je n'ai pas les qualités requises, alors ne perdez pas votre temps à m'expliquer pourquoi je ne voudrais pas être la femme d'un pasteur!

– Vous n'avez peut-être pas les qualités requises, Abbie, dit calmement Tobias, mais je vous demande de l'être.

Abbie ferma les yeux, refusant de croire à ce qu'elle venait d'entendre. Vainement, elle tenta de retenir les larmes qui se pressaient sous ses paupières. Quand elle les rouvrit enfin, ce fut pour poser sur Tobias un regard accusateur.

– J'ai très bien entendu ce que vous avez dit tout à l'heure, Tobias. Je ne...

– Si vous étiez restée pour écouter le reste, vous auriez appris que je me moque éperdument que vous soyez ou non une femme de pasteur idéale. Vous êtes la femme que je veux épouser, c'est tout.

– Je... Est-ce une demande en mariage?

– Oui. Je mettrais bien un genou en terre pour la faire dans les formes, mais Mabel s'y oppose.

Il retroussa son aube pour glisser une main dans la poche de son pantalon.

– J'allais vous offrir ceci, après le déjeuner.

Eblouie, incrédule, Abbie surprit l'étincellement fugitif d'un diamant et détacha lentement ses mains du volant. Lorsqu'il lui présenta la bague, elle avança timidement la main gauche, et regarda Tobias glisser le magnifique solitaire à son annulaire.

– Il est merveilleux, dit-elle dans un souffle.

– Est-ce que cela signifie que vous allez m'épouser? ironisa Tobias.

– Oui... Si vous êtes sûr de vous.

– Absolument sûr. Dois-je vous le prouver? dit-il en l'attirant à lui d'un bras possessif.

Il saisit fougueusement sa bouche, et si elle doutait encore des sentiments de Tobias, ses doutes s'évanouirent à cet instant. La joie monta en elle comme un chant, une musique de bonheur infiniment douce. Elle croyait l'entendre encore, quand Tobias libéra enfin ses lèvres. Eperdue, elle enfouit son visage au creux de son épaule.

– Tobias! Tobias... murmura-t-elle d'une voix incrédule, je croyais vous avoir perdu!

– Oh non! Pas de danger, dit-il en enfouissant les doigts dans les boucles d'Abbie comme pour affirmer qu'elle était bien à lui, maintenant. On ne se débarrasse pas de moi comme ça. Vous l'apprendrez à vos dépens, quand vous serez Mme Tobias Talbot.

– Je n'arrive pas encore à le croire, dit-elle d'une voix que la joie faisait trembler.

– Vous souvenez-vous qu'à notre seconde rencontre j'ai dit à votre mère que je n'étais pas marié parce que je n'avais pas encore trouvé la femme qu'il me fallait? Ce n'est pas une femme de pasteur que je cherchais, mais une femme tout court. Une femme pour moi... Et vous êtes cette femme, Abbie.

– J'avais oublié que vous aviez dit ça, avoua-t-elle tout bas.

– Si vous vous l'étiez rappelé, vous n'auriez pas imaginé... je ne sais quelles sottises! Vous ne vous seriez pas enfuie comme une folle, en me faisant la plus grande peur de ma vie. Sans compter ma colère, à cause de ces réflexions stupides qui vous avaient blessée.

– Ce n'est pas seulement ce qu'ils ont dit, Tobias, mais ce que vous avez dit, vous-même, hier... C'était cela, surtout...

– Moi? Qu'ai-je dit qui ait pu vous donner des idées pareilles?

– Un tas de petites choses. Quand je vous ai demandé de... de m'aimer, vous m'avez dit de ne pas exiger cela de vous.

– Et vous en avez conclu que je ne pouvais pas

vous aimer! Je ne voulais pas... anticiper sur notre nuit de noces, voilà tout! Abbie... vous avez vraiment cru que je ne vous aimais pas?

– Pas sur le moment, non, c'est seulement plus tard, quand j'ai commencé à tout rassembler...

– Rassembler quoi? Qu'y avait-il encore?

– Eh bien, vous avez dit aussi que vous ne saviez pas ce que vous alliez faire de moi. J'ai cru que vous cherchiez un moyen de m'annoncer avec ménagements... que vous ne m'aimiez pas.

– Eh bien, je vous aime, tenez-vous le pour dit. Et quant à cette réflexion, du diable si je sais moi-même ce que j'ai voulu dire! Sinon qu'il vous avait fallu du temps pour vous apercevoir que je vous aimais... comme un homme, Abbie, tout simplement. Et que j'attendais de vous... autre chose qu'une amitié désincarnée. Jusque-là, vous paraissiez ne voir en moi que le pasteur. Et hier, vous avez bien failli me faire oublier que j'en suis un.

– Et j'apprendrai à être une bonne femme de pasteur, promit Abbie en laissant courir ses doigts sur la joue, la mâchoire et les lèvres si bien dessinées de Tobias.

– Non, Abbie. Cela aussi, j'ai tenté de vous l'expliquer. Je ne veux pas que vous pensiez que c'est votre devoir de connaître la Bible, ou de fréquenter régulièrement l'église, ou n'importe quoi d'autre. Si vous le faites, que ce soit pour la même raison que moi, et non à cause de moi. Pour l'amour de Dieu, et non par obligation, sous le mauvais prétexte que vous êtes la femme du pasteur.

– Oui, Tobias, souffla-t-elle. Je vous le promets.

Il raffermit l'étreinte de ses bras autour d'elle, la serra contre lui et reprit ses lèvres avec tant d'ardeur et de fougue, que le monde parut s'abolir autour d'elle. Le temps cessa d'exister, et ils furent seuls, dans une éternité de joie et d'amour.

– Comme je vous aime, Abbie! gémit-il dans ses cheveux.

– Tobias...

Elle ouvrit les yeux et vit, derrière lui, la façade de l'église.

– Est-ce que vous vous rendez compte que nous flirtons outrageusement dans le parking de l'église?

Il rit tout bas en relevant la tête, et le même rire amusé plissa le coin de ses yeux.

– Pouvez-vous imaginer un meilleur endroit? Je vous aime, Abbie. Je vous veux. Et je vous choisis pour femme, devant Dieu et devant les hommes.

– Et je vous veux pour mari, chuchota-t-elle, devant les hommes... et devant toutes les femmes de la ville, ajouta-t-elle avec défi.

Soudain, elle sursauta et se redressa brusquement.

– Le rôti!

– Eh bien?

– Il est encore dans le four! Il sera calciné! Notre déjeuner est gâché, gémit-elle.

– Au diable le rôti! Vous aurez une éternité de dimanches pour me prouver vos talents, dit-il en l'attirant à nouveau contre lui. Toute la vie.

Elle s'abattit sur sa poitrine et sentit le bras vigoureux de Tobias se refermer sur son épaule. Là était sa vraie place... Pour toute la vie.

79

FERN MICHAELS
Sur les vagues du désir

A bord de son yacht somptueux, Jared Parsons
a accosté en Caroline du Nord où Cathy
espérait passer des vacances paisibles.
Cet insupportable play-boy est un homme
bien étrange... La peste soit de Jared Parsons
et de son secret!

80

LAURA HARDY
L'amour en pleurs

Un beau matin, à Londres, en entrant
dans le bureau de son patron, Dinah
trouve un bel inconnu, installé là comme
chez lui. Et il la regarde comme s'il s'attendait
à ce qu'elle lui tombe à l'instant
dans les bras!

31, rue de Tournon, 75006 Paris

diffusion
France et étranger : Flammarion, Paris
Suisse : Office du Livre, Fribourg
diffusion exclusive
Canada : Éditions Flammarion Ltée, Montréal

Achevé d'imprimer sur les presses de l'imprimerie Brodard et Taupin
7, Bd Romain-Rolland, Montrouge. Usine de La Flèche,
le 29 octobre 1982. ISBN : 2 - 277 - 80075 - 9
1544-5 Dépôt Légal novembre 1982. Imprimé en France